어쩌다, 크리에이터:
흐름의 굴곡

어쩌다, 크리에이터: 흐름의 굴곡

저 자 | 오재용 (LegitBricks)
저자 이메일 | justinoh5729@gmail.com
저자 인스타그램 | @legitbricks_ (MAIN)
@nft.legitbricks (NFT)

발 행 | 2024년 3월 20일
펴낸이 | 한건희
펴낸곳 | 주식회사 부크크
출판사등록 | 2014.07.15.(제2014-16호)
주 소 | 서울특별시 금천구 가산디지털1로 119 SK트윈타워 A동 305호
전 화 | 1670-8316
이메일 | info@bookk.co.kr

ISBN | 979-11-410-7724-2

값 20,000원

www.bookk.co.kr

작가소개

어린 시절을 미국과 캐나다에서 보냈으며, 컴퓨터 공학과를 졸업했고, "LegitBricks (레짓브릭스)" 라는 활동명으로 레고® 사의 미니피규어와 AI아트 등의 신기술을 활용해서 컨셉샷을 찍는다.

그 외에도 메타버스 플랫폼 "이프랜드"에서 인플루언서로 활동하고 있으며, 전 세계에서 거의 최초급으로 레고 사진을 활용한 NFT를 발행하기 시작했다. 그렇게 레고® 컨텐츠가 닿지 않은 곳에 레고® 컨텐츠를 선보이는 것을 지향한다.

인스타그램 (Instagram)

@legitbricks_ (MAIN)
@nft.legitbricks (NFT)

X (Twitter)

@legitbricks_

틱톡 (TikTok)

@legitbricks_

Table of Contents

추천의 글

추천의 글

2021년 말 만난 한 청년이 나이 차를 의식하지 않고 친근하게 다가와 줘 처음부터 좋았다. 첫 책을 출간 후 거침없이 인터뷰, 전시회를 하면서 아티스트로서 자신의 영역을 넓혀가는 적극성이 부럽기까지 했다. 초저녁 잠이 많은 그이지만, 늦은 밤 내가 진행하는 호몽캠프의 최다 출연 게스트였고, 매주 내 밋업에 꾸준히 찾아오는게 신기하기도 하다. 지난 2년동안 30여년의 나이 차이를 뛰어넘어 친구로 소통하고 있는 미래형 아트 포토그래퍼 레짓브릭스, 일년만에 두 번째 출간을 맞은 그의 앞날에 무한한 신뢰와 응원을 보낸다.

– ㈜호연지재 대표 이용호 / 시니어 인플루언서 호몽

이 책은 한 레고 포토그래퍼의 진솔한 성장 이야기를 담고 있습니다. 그는 새집에 초대받지 못한 담쟁이덩굴처럼 냉담한 환경을 마주하지만, 말없이 벽을 타고 올라가, 회색 벽돌과 상처의 빨간 담을 뚫고, 결국 단단한 녹색 도전의 줄기를 펼치며 담장 전체를 그의 꿈으로 덮어 나갑니다. 하루하루 자신이 즐기고 사랑하는 것을 찾아가며, 그가 할 수 있는 일에 최선을 다하는 그의 이야기가 독자들에게 용기와 위로가 되길 바랍니다.

– 〈해외영업 바이블〉 저자 최영 / 영업의신조이

자신에게 닥친 일들에 대해 인정하며 시련을 극복하려 하고 더욱 집중하려는 모습에서 스무 살이나 많은 내가 배워나가야 할 부분이 참 많다고 느꼈다.

- 스마트폰 활용 지도사 권정아 / 다솜♥

자신의 장애물을 딛고 레고 크리에이터로서 발돋움하는 첫 길을 응원합니다. 앞으로도 무궁한 성장을 기원합니다.

- 김민지 / MeendArt 프로젝트 대표작가 만쥬

이 책은 작가의 삶 속 애환을 담아내는 것과 동시에 발자취를 들여다볼 수 있어서 작가를 더욱 폭넓게 이해하고 들여다볼 수 있는 서적입니다. 특히, 메타버스와 NFT, AI에 이르기까지 변화하는 기술들을 빠르게 파악하고 활용하여 작품들에 적용하는 것으로써, 미래지향적인 아티스트란 무엇인가에 대한 접근도 담아내고 있습니다. 앞으로는 AI로 인하여 더욱 빠르면서 크게 세상이 변화하게 될 것입니다. 그러한 세상의 변화들을 두려워하지 말고, 자연스럽게 받아들이고 빠르게 흡수하는 것으로 새로운 기회와 성취를 얻을 수 있는 가치를 작가의 여정 속에서 찾아볼 수 있습니다. 작가의 앞으로의 여정을 응원하며 독자 여러분의 삶의 여정도 응원합니다. 그리고 모든 삶 속에 행운이 함께하길 소망합니다

- 한국 AI 작가협회 이사 박종식 / NFT 작가 존스피

『어쩌다 크리에이터: 흐름의 굴곡』은 혁신, 창조, 그리고 변화의 여정을 담은 작품입니다. 오재용 작가는 레고 미니피규어와 AI 기술을 활용하여 미래형 아트 포토그래퍼로서 새로운 차원의 예술을 창조하며, 그 과정에서 자신의 한계를 뛰어넘는 순간들을 경험합니다. 특히, 한국 AI 작가협회에 가입하며 느낀 자부심과 성취는 그의 여정에서 가장 빛나는 순간 중 하나로 손꼽히며, 이는 협회 멤버들과의 소통과 협력의 중요성을 일깨워 줍니다.

이 책은 이사장으로서의 뿌듯함과 함께, 앞으로도 협회 멤버들과 서로 성장해 나가자는 메시지를 담아 한국 AI 작가협회의 결속력과 발전 가능성을 강조합니다. 오재용 작가의 이야기는 AI와 같은 신기술을 예술에 접목시켜 미래 지향적인 창작 활동을 추구하는 이들에게 귀감이 되며, 이를 통해 더욱 다채롭고 풍부한 예술 세계를 구현하고자 하는 모든 창작자들에게 희망과 영감을 선사합니다. 작가의 여정은 개인의 성장을 넘어서, 한국 AI 작가협회와 함께 발전해 나가는 과정의 소중함을 일깨우며, 미래의 창작 환경에 대한 긍정적인 비전을 제시합니다.

　- 한국 AI 작가협회 이사장 김예은 / NFT 작가 노바에듀

역사 속에 21세기 포인트가 될 키워드는 AI가 되지 않을까 싶다. 로봇과 친하게 지내지 못하면 따돌림을 당할지도 모르는 세상이 온다. 이 책에 저자는 AI와 친하게 협력하는 모습을 보여주는 작가라고 생각한다. 많은 변화가 예상되는 앞날에 오재용 작가의 한 걸음은 모두가 바라봐도 괜찮은 작가이자 한 사람이다.

– ㈜권더풀아트테인먼트 대표 권성구

전작 요약

전작 요약

이 책에 담길 내용은, 전작 〈어쩌다, 크리에이터〉의 내용을 어느 정도는 알고 있어야 이해할 수 있을 내용들이다. 물론 전작을 처음부터 끝까지 읽어보는 것이 가장 좋겠지만, 그래도 이 책을 이해하는 데에 필수적인 요소들만 전작에서 챕터별로 요약해서 가져오겠다.

우선, 첫 번째 챕터에서는 내가 어떻게 이 크리에이터 세계에 처음 발을 들이게 되었는지를 설명하고 있다. 2019년 6월 4일, 바야흐로 대학교 2학년 시절, 6월에 인스타그램 계정을 오픈하였다. 초기에는 매우 보수적이고 폐쇄적인 방식으로 인스타그램 계정을 운영했었다. 그러다가 레고 사진가들이 모인 크루 "레픽스"의 1기 멤버로 가입하였다. 레픽스 가입과 거의 동시에 한 인터넷 플랫폼에서 친해진 한 인도인 친구의 조언 덕분에 더욱 활발한 교류를 하는 방식으로 인스타그램 계정 운영 방식을 바꿨다.

여기서, 인스타그램 계정을 오픈한 지 반년 만에 레고 코리아로부터 제안받고, 제품 지원도 받으면서, 레고사에서 출시한 2020 상반기 마블 신제품 홍보용 이미지를 만들게 되었다. 그때가 처음으로 어쨌거나 내가 만든 컨텐츠로 수익을 내본 경험이었다.

두 번째 챕터에서는 우연한 계기로 독서에 빠졌던 9개월간의 이야기를 다룬다. 그 기간에 나한테 가장 큰 영향을 줬던 책 세 권을 소개하면서, 그 세 권이 왜, 어떻게 나한테 큰 영향을 끼쳤는지도 소개했다.

그 세 권은 바로:
〈부자의 그릇, 이즈미 마사토〉,
〈린치핀, 세스 고딘〉, 그리고
〈결국 이기는 사람들의 비밀, 리웨이원〉

이렇게 있다. 우선 〈부자의 그릇〉은 내 그릇된 소비 패턴에 일침을 날려준 책이다. 그리고 이 책에서 또 하나의 중요 포인트는, 기회비용을 계산하는데, 즉 기회비용이 있을 때 어떻게 의사결정을 내려야 하는지, 무엇이 중요한 가치를 주는지에 대한 가치 판단법도 알게 되었다.

그다음으로 소개한 〈린치핀〉은 어떻게 사회에서 특별한 존재, 일명 대체 불가능한 존재가 될 수 있는지를 알려준 책이다. 애초에 린치핀이라는 단어 뜻도 "핵심인 사람"이라는 뜻이다. 〈린치핀〉에서 대체 불가능한 사람이 되는 법을 얘기해주면서, 그 책에서 다루는 린치핀의 주된 특성 중 내가 잘하는, 혹은 내가 가진 특성과 내가 부족하거나 보완해야 할 특성을 구분하고, 내가 한 고찰을 약간 추가함으로써, 내 상황에 맞게 〈린치핀〉 속의 내용을 살짝 재해석도 했다.

마지막으로 소개한 책 〈결국 이기는 사람들의 비밀〉에서는 노력으로 인한 행운이 생기는 과정 및 방법과 아무래도 일어날 확률이 희박할 수밖에 없는 행운을 더 자주 얻을 방법, 일명 "치트 키"를 다룬다. 이 책의 내용을 돕기 위해 약간의 수학적인 계산을 해가면서, 이 책 〈결국 이기는 사람들의 비밀〉의 내용이 왜 타당한지도 다뤘다. 그 외 희박한 확률에 의존해야 했을 법한 이 기존의 판을 뒤집는 게임 체인저가 되기 위한 요소들도 소개했다. 그렇게 되기 위해서 내가 갖춰야 할 것들은 세 가지인데, 희소성, 실천 능력(실행력), 그리고 지속 가능성이다. 이 세 요소에 대한 더 깊고 자세한 내용은 전작을 읽어보길 바란다.

그리고 두 번째 챕터 후반에는 위에 언급한 세 권의 책들과 별도로 언급되진 않았지만 그래도 그 9개월간 읽은 책들의 내용을 내가 이해한 바들을 토대로 종합해서 내가 느낀 바를 적었다. 이 부분에서 전작과 이번 작품까지 관통할 주요 키워드 문장 "반성은 하되, 후회는 하지 않는다"라는 말이 나왔고, 이 문장의 의미는 반성을 통해 과거에 내가 저질렀던 잘못으로부터 배우는 것은 적극적으로 하되, 아무 변화도, 이득도 주지 못할 과거의 잘못을 후회하는 일은 지양하라는 뜻이다. 후회할 시간에 반성을 더 철저히 하고, 앞으로의 계획을 세우는 것이 더욱 이롭다고 생각하기 때문이다.

세 번째와 네 번째 챕터들은 같은 핵심 내용을 다루고 있다. 나의 새로운 도전이었던 SKT에서 운영하는 메타버스 플랫폼 "이프랜드"의 인플루언서 프로그램 "이프렌즈" 3기로 선정되었을 때를 다룬다. 메타버스란, 쉽게 말해 가상공간에서 나의 아바타를 생성한 후, 그 플랫폼 공간에서 현실 세계와 유사하게 여러 유저들과 게임, 소통, 심지어 실제 금전적인 수익까지 이어질 수 있는 경제활동까지 가능한 가상공간이다.

여기서 벌어진 모든 중대한 사건들을 다루면서, 이프랜드를 통해서 진화된 크리에이터 생활 및 반경, 그 외에도 다양한 사람들과 교류하다 보니 얻은 여러 가지 자산들도 다룬다. 여기서 자산은 금전적이라기보단, 인적 자산과 지적 자산에 더 포커스가 맞춰져 있다. 이프렌즈 활동을 통해서 연결된 다음 통로인 NFT 계에 입문하고, NFT 작가분들을 많이 만나고 그분들로부터 많은 도움을 받은 이야기도 자세히 적어놨다.

거기에, 이프렌즈 활동 중에 찾아온 번아웃 이야기, 그리고 번아웃의 위험성도 다루고 번아웃으로 올 법한 피해를 줄일 수 있는 나름의 팁도 담고 있다. 그리고 이프랜드 내에서 내가 궁극적으로 이루고자 한 바까지, 이프랜드 관련해서 내가 얻은 것들을 3장과 4장에 걸쳐서 길고, 자세하게 설명했다.

마지막 다섯 번째 챕터에서는, 급격한 변화를 맞고 있으면서도 내가 절대로 고수할 3대 대원칙을 중점적으로 다루고 있다. 당시 이프랜드 외에도, 대규모 레고 전시회 등을 통해 나를 알리게 되면서, 기업 파트너십 등 전례 없던 많은 기회가 열리기 시작한 시점을 다룬다. 하지만, 이런 여러 가지 기회들이 소용돌이처럼 와도, 안정적으로 자리를 잡기 위해서 내가 세운 3대 대원칙을 기둥으로 삼아서 앞으로의 활동을 이어가겠다는 이야기를 다룬다.

그 3대 대원칙은:

- 내가 다루는 모든 소재는 전 세계 남녀노소 막론하고 모두가 즐길 수 있어야 한다.

- 실존 인물은 소재로 삼지 않는다. 단, 과거 역사 속 인물 중 긍정적으로 평가가 마무리된 인물은 쓸 수 있다.
- 틀에 박히지 않은 나만의 고유한 창의력을 구현하는 것을 지향한다.

이 3대 대원칙은 결국 나의 발전을 가로막지 않으면서, 내 컨텐츠를 보는 모든 사람이 즐길 수 있는 소재여야 한다는 것을 가리킨다. 풀어서 말하자면, 내 작품들은 그것을 보는 사람의 나이, 성별, 인종, 국적 등과 상관없이, 전 세계인 모두가 남녀노소 할 것 없이 좋아할 수 있는 작품을 만드는 것이다. 그와 동시에, 나를 어딘가에 가둬버리게 될 수 있는 틀을 만들지 않고, 내 안에 있는 무한한 상상력과 가능성, 잠재력, 창의력을 아낌없이 표출하면서 작품활동을 하는 것을 지향한다는 것이다.

이렇게 내 3대 대원칙을 훼손하지 않는 선에서, 나는 지속해서, 끊임없이 계속 도전할 것이다. 그렇게 무한한 도전을 이어가는 것을 지향하면서, 앞으로도 계속 이어질, 나만의 고유한 방식으로 내 앞에 놓이는 하나하나의 과정들을 지나가면서, 내가 크리에이터 활동을 계속해 나가는 여정을 가겠다는 내용을 끝으로, 전작의 이야기는 이렇게 마감된다.

이제 전작의 내용 중에서 중요 포인트들은 다 다뤄봤으니, 이제 본격적으로 내가 전할 새로운 이야기를 시작해 보겠다.

프롤로그

프롤로그

사람 일은 모른다는 것, 그것이 지금 이 책을 쓰기 시작한 내 시점과 어떻게, 이렇게 딱 떨어질 수가 있을까.

원래 〈어쩌다, 크리에이터〉는 이렇게 다부작 시리즈로 기획되지 않았다. 이전에 출판한 그 책 한 권으로 끝내려고 했는데, 정말 운명의 장난처럼, 이전 책이 출판되자마자 상황이 급격하게 변했다. 이대로 가면, 이전 책만 보고 나를 바라볼 여러 사람에게 난 거짓말을 하고 있다는 생각이 들 정도로, 이런 죄책감이 들 정도로 상황이 급변했다. 그나마 긍정적으로 변했다면 굳이 이 책을 안 썼을 수도 있다. 다만 지금 내가 쓰고 있는 이 어투, 그리고 이 책의 부제목을 통해 유추해 보면, 결코 좋은 변화는 아니었을 것이라고 다 짐작했을 것이다.

〈어쩌다, 크리에이터〉는 2023년 1월 초순에 출간이 되었다. 그러나, 단 3개월 만에, 내 상황은 180도 바뀌었다. 거의 이전 책에서의 내 모습은 더 이상 없다고 봐도 무방할 정도로 상황이 단 3개월 만에 송두리째 바뀌었다. 언젠간 터졌을 것이지만, 너무 크게, 단기간에 연속적으로 터졌다.

1권의 프롤로그 내용에서도 나는 내 30년, 40년 후의 미래를 알 수 없다고 강조했다. 그렇게 쓴 나는 매우 경솔했다는 생각이 든다. 30년은커녕 3개월 앞도 못 보면서 마치 모든 것에 통달한 것처럼 쓴 이전 책, 아직은 부끄럽다고 할 수는 없지만, 만약 이 두 번째 이야기를 담은 책을 내지 않았다면, 그 책이 나의 부끄러움이 되는 것은 시간문제라고 생각한다.

그렇다. 이 두 번째 이야기를 쓰는 가장 근본적인 이유는, 그래도 나의 처녀작을 내 흑역사로 만들어 버리는 것은 차마 나 스스로 용납할 수 없기 때문이다. 이렇게 보니, 결론적으로 이 책을 집필하게 된 계기는 또 자기중심적인 계기로 쓰게 되었다.

어쨌거나 〈어쩌다, 크리에이터〉를 쓰는데 상당히 고생해서 처녀작을 냈는데, 훗날 그 책은 숨겨야 할 책이 된다면, 그동안의 노력과 시간은 허투루 쓴 것이 아닌가! 노력과 시간은 곧 에너지와 자원이다. 전작에서 나는 내 에너지와 자원을 효율적으로 쓰고 싶고, 또 써야 한다고 거듭 강조했다.

그래서 두 번째 이야기를 집필하기 시작했다. 이 책을 이전 작과 비교하면, 분위기가 완전히 다를 것이다. 이전 작품은 밝고, 경쾌하고, 희망적인 분위기였다면, 이번 책은 중반까지는 매우 어둡고, 진지하고, 차가운 분위기를 낼 것이다. 어떤 사람은 1권과 2권이 같은 작가가 쓴 게 아닌 것 같다는 느낌도 받을 것이다.

하지만 나는 이따가 자세히 쓰겠지만, 그동안 나는 과거를 세탁하는 데에만 급급했었고, 알고 보니 모순적인 인생을 살아가고 있었다. 그리고 그 절정에 있었을 때 쓴 글이 바로 이전 작품인 〈어쩌다, 크리에이터〉이다. 그렇다고 그 책이 아무 의미가 없는 것은 아니다. 어쩌면 내 행복했던 시절을 보여줬고, 그런 행복한 세상이 나에게 진정으로 오게끔 동기부여 해주는 책이니까.

하지만 다시 현재의 현실로 돌아오면, 이 사단은 어쩌면 예견된 참사였을 수도 있다. 무슨 사단인지는 이 글의 메인 파트에서 차차 밝히겠다. 단지 지금은, 〈어쩌다, 크리에이터〉가 출간된 직후에 엄청난 사건이 있었구나! 정도만 알아두면 좋을 것 같다.

그렇게 격변의 3개월이 지나고, 약간 마음이 추슬러졌을 때 바로 나는 이 책을 집필하기 시작했고, 그 3개월 동안의 마음고생 이야기부터, 나의 밝히기에 싫은 과거도 일부 밝히면서, 나에 대한 대중의 이해도를 높이는 역할도 이 책을 통해서 해볼 예정이다. 그리고 끝에는, 이 격변의 3개월 동안 힘들게 배운 것을 바탕으로 새롭게, 더 구체화하여서 탄생한 미래의 비전까지 다루면서, 그래도 희망의 메시지는 끝에 전달하고 마치려고 한다. 실패와 좌절을 맛봤다. 하지만 그 직후에는 다시 다행스럽게도 희망이 찾아왔다. 단, 이번에 희망을 이어갈 전제는, 실패와 좌절을 통해 배운 것을 뼈저리게 반성하고, 깨닫고, 실천했을 때의 이야기다. 거의 3년 같았던 3개월의 이야기, 그리고 그 후의 시간대까지, 또 한 번 본격적으로 다뤄보겠다.

PHASE 6

〈어쩌다, 크리에이터〉

의 저주

1. 나는 아무것도 알지 못했다.

〈어쩌다, 크리에이터〉, 그간 경솔했던 나의 태도를 보여주는 책이다. 물론 그 내용에 거짓이 담겨있거나, 괜히 나 잘났다고 과시하기 위해 과장된 이야기는 없다. 그 책에는 내가 나 스스로 자랑스러워하는 내용들 위주로 적혀 있다. 그런데도 저주라고 쓴 이유는 사실 의외의 이유다. 그 당시에는, 모든 상황이 그냥 이상적이었다고 해도 될 정도로, 너무 좋기만 했다. 미다스의 손이 따로 없었다.

만약 그런 상황이 이어져서, 이 뒷이야기를 굳이 쓸 필요가 없도록, 지금까지도 호재들만 이어져갔다면 오히려 나는 그것이 저주받은 인생이라고 생각한다. 미다스의 손 이야기도, 결말은 자기 딸마저 황금 동상으로 변신시킨 점을 보면 결국은 새드

엔딩이 아닌가! 언젠간 인생에서 악재들은 올 수밖에 없다. 그러므로, 모든 상황이 계속 이전 작품처럼만 흘러갔다면, 나는 사소한 악재 하나 해결할 능력이 없는 사람이 될 것이다. 차라리 지금 같은 상황이 이렇게 빨리 온 것이 다행이라고 생각한다.

첫 번째 이야기를 쓸 무렵, 모든 것은 영원할 것 같았다. 내가 소속된 팀 활동, 교류하던 사람들과의 관계, 당시에 느끼기로선 남들보다 밝아 보이는 내 미래, 내가 자의적으로 그만두지만 않으면 그냥 그대로 이어질 것 같았다. 자동으로. 정말 동화 같은 이야기라는 것, 사실 나도 알고는 있었다. 현실은 그럴 리가 없다는 사실까지도, 절대 모르고 있지 않았다. 그러나 그 무렵, 난 손대는 것마다 모두 성공했다. 아니, 성공만 했다. 레고 팀까지 이어진 레고 활동, 이프렌즈 활동, NFT 네트워킹, 심지어 WEB 3.0 현업에서 활동하시는 분들과의 교류까지, 그냥 손만 대면 다 잘 되었다. 그러면서 나는 환상 속에서만 살아가기 시작했다. 오죽하면 복학을 앞둔 당시, 복학하면 F만 피하는 선에서만 학업의 비중을 두고, 내 미래 커리어를 쌓기 위한 활동 위주로 할 계획을 세웠을 정도니까.

정말 한심하고 무책임하고 현실 직시를 제대로 못 한 상황이었다. 그렇지만 내 인생에서 최초로 자아실현을 해나가는 것이 이런 활동들이었고, 심지어 관련 분야에서는 실패, 좌절, 실수, 심지어 문제 하나 없이 모든 것이 완벽하게 계획한 대로만

흘러갔으니까, 결국 그것이 마치 내 현실처럼 보였다. 하지만
이랬던 나에게 한 가지 일침을 날려주기 시작한 사건들이
하나하나 생겨나기 시작했다.

우선 복학. 그래도 졸업하려면 졸업 프로젝트를 해야 한다.
생각보다 회의가 수시로 잡히고, 하필 나는 새벽형인데 나머지
팀원들은 올빼미족들인가 싶은 정도로 밤에 더 에너지가 많아
보였다. 그래서 자연스레 회의는 밤늦게 진행된 경우가
대다수이고, 나는 그래서 회의를 한 번 할 때마다 정말 고생했다.
박카스를 마셔가면서 버티다가 어느 순간 몸의 체력이 그냥
고갈되어서 탈진하기도 했다. 그래도 여기까진 비교적 양호한
수준의 문제였다. 진짜 큰 문제는, 내가 2019년부터 꾸준히 해오던
컨텐츠 크리에이팅 활동, 즉 레고 사진을 오랫동안 제작하면서
깊게 자리 잡은 레고계에서 나가게 되었을 때였다.

대표적으로, 〈어쩌다, 크리에이터〉의 앞부분에 나오는, 내가
자부심을 느끼고 소속되어서 열심히 활동했던 팀 〈레픽스〉에서
나오게 되었다. 좋게 헤어져서 나온 것은 아니다. 내가 한 실수로
팀 내 큰 마찰이 있었고 그로 인해 나오게 되었다. 그 자세한
내용은 서로에게 민감한 문제이므로 밝히지 않겠다. 아무튼
레픽스에서 나가게 되었다. 재미있는 사실은, 사실 레픽스에서
나오게 된 그 시점부터 몇 달 전, 나는 레픽스와의 결별이 곧 올
것이라는 예감이 들기 시작했다. 내가 추구하는 방향성과 약간씩

틀어짐을 느끼기 시작했고, 그때 나는 여기서 남아있을 날이 얼마 남지 않았다는 직감을 했다. 그리고 뒤에서는 만약 레픽스에서 나오게 될 경우, 앞으로의 행보를 어떻게 할 것인가에 대한 대비책을 세우고 있었다. 나는 레픽스에서 나오게 될 것 같은 시점은 2023년 여름쯤으로 예상하였다. 다만 그 예상보다 반년 정도 빨리 나가게 되었다.

그렇지만, 여기서 더 흥미로운 점이 있다. 내가 그 계획을 세울 무렵부터 레픽스 팀원과의 마찰이 더 잦아지기 시작했고, 계획이 완성되어 갈수록 그 강도, 수위, 빈도는 올라가고 있었다. 어쩌면 나는 그 계획을 세우기 시작한 시점부터 더 이상 레픽스 멤버라는 마인드를 가지고 있지 않았던 것, 아니면 차차 그 마인드가 사라져가고 있던 것이 아니었나 싶다.

하지만 이때만 하더라도, 나는 내가 개인적으로 벌이는 모든 일들이 미다스의 손처럼 다 성공만 하고 있어서, 이러한 점들을 당시에는 전혀 인지하지 못하고 있었다. 그래도 어쨌거나, 나는 레픽스 크루와 방향성의 차이가 생기는 것, 그것 때문에 나가게 될 것이라고 예상했고, 비록 다른 원인이 촉발하긴 했지만, 방향성의 차이로 쌓인 스트레스가 마치 모닥불에 불을 붙이기 전에 쌓인 마른 장작이 된 것으로 생각한다. 그리고 그 다른 원인이 그 장작에 성냥불을 갖다 댄 것으로 생각한다.

그러나 레픽스에서 나가게 된 것은 시작에 불과했다. 그로 인하여 레고 크리에이터계에서도 잠시 물러났어야 했었다. 비슷한 시점에 준비하던 전시회도 하나 깨지고, WEB 3.0 네트워킹도 그 시점에 잘 안되기 시작했다. 이 모든 일들이 단 3개월 만에 벌어진 일이었다. 모든 기세와 분위기가 갑자기 뒤집히면서, 나락으로 떨어져 가기 시작한 것이 느껴졌다. 지금까지는 꽃길만 걸었는데, 갑자기 먹구름이 오면서 사방에서 번개가 빗발치는 그 느낌이 들었다. 이 상태로 개강 날이 온 것이었다.

정말 정신적인 충격을 너무 크게 얻은 채로 개강했다. 그래도 나는 인생이란 뭐 원래 오르락내리락하니까 싶어서, 캠퍼스 내에서만은 애써 잊고 학교생활을 했다. 다행히도, 아직은 내가 하는 영역에서 완전히 퇴출당하지는 않았다. 이프렌즈 활동도 지속할 기회를 받았고, 전반적인 이프렌즈분들과의 관계도 큰 변화는 없었고, 레고계도 최대한 많이 사과하면서 관계를 하나하나 회복하기 시작했다. 더 늦기 전에, 진짜로 모든 영역에서 퇴출당하기 전에, 발 빠르게 상황을 수습하려고 노력했다.

하지만 힘들다. 먹구름은 여전히 있다. 내가 지금 우산을 구하긴 했으나, 이 먹구름에서 빨리 벗어나야 하는데, 그것이 정말로, 어렵다. 2023년 1월의 나는 정말 아무것도 알지 못했다. 심지어 지금도, 이 상황의 근본적인 해결책마저 알지 못한다. 물론 해결책과는 별개로, 상황을 타파할 돌파구는 몇 개 마련했고,

그렇게 해서 다시 일어서려고 하고 있다.

다만, 다음 장에 다룰 더 중요한 이야기가 있는데, 다시 일어서는 것에 관한 내용을 다뤄보려고 한다. 솔직히 말하면, 여기서 다시 일어서도 안전하다고 보지 않는다. 지금까지 내가 벌인 모든 일은 꼭 도돌이표처럼 한 결말로 끝났다. 그럼 나는 어디서, 어떻게 희망을 찾아야 할까, 이 고민을 나는 아직도 하고 있다. 이 고민에 대한 답은 여전히 얻지 못했다. 하지만 언젠간 얻을 그날을 기다리며, 묵묵히 내 인생과 커리어를 쌓아 가는 것, 그것이 현재로서 할 수 있는 최선이라고 생각한다.

2. 결국 막지 못한 과거의 되풀이.

참…. 착잡하다. 이번에는 진짜로 다를 줄 알았다. 지금 파트에서는 내 과거를 약간 밝혀야 할 것 같아서 밝혀보겠다. 과거의 나는, 지금의 나와 다른 사람임을 넘어서, 자아 자체가 달랐다고 봐도 무방하다. 〈어쩌다, 크리에이터〉의 앞부분에서 다뤘던, 9개월간 책을 무진장 읽으면서 그 깨달음을 얻는 과정, 그 9개월의 여정의 첫날의 전날까지만 해도 내 내면은 모든 게 달랐다.

내 중고등학교 시절, 매우 어둡고 힘들었다. 불량한 애들이 꼬이기 시작하면서, 그로 인한 나의 대응 미스로 전교에서 따돌림당하던 시절이다. 하지만 왜 불량한 애들이 꼬일까, 그것도 유독 나에게만. 중고등학교 때 본격적으로 꼬여서 그렇지, 사실 초등학교 때도 남을 괴롭히는 사람들에게 내가 주 괴롭힘 타깃이 되었다. 나는 엄밀히 말하면 학교폭력 피해자가 맞다. 하지만 나를 향한 폭력이 시작되는 과정에서, 좋은 대응 방식으로 대응하지 못했다. 그 당시만 하더라도 나는 내가 전적으로 피해자인 줄 알았다. 하지만 여기까지는 생각을 안 해봤다. 내가 피해자라면, 왜 그 누구도 나를 돕지 않았을까? 돕지 않는 건 그럴 수 있다고 치자. 나를 주도해서 괴롭히는 애들이랑 꼬여버리기가 싫거나, 설령 그 가해자들이 무서워서라도 못 도울 수는 있을 것이다. 그렇지만 일반 사람들도 돕지 않는 것을 넘어서, 상당수, 아니 대부분은 가해자 편에 섰다. 그리고 같이 나를 괴롭혔다. 왜 그랬는지는 당시에는 생각을 못 했다.

물론 그때는, 내 인생이 너무 괴로워서 거기까지 생각할 여유가 없었다. 하지만 이거에 대한 답도, 전작에서 언급한, 독서를 미친 듯이 한 그 9개월 동안 또 알게 되었다. 아쉬운 점은, 나를 가해했던 사람들이랑 마지막으로 본 지 4년이 지난 후에야 그 답을 알았다. 일단, 일반 학생들도 가해자 편에 설 정도였다면, 나는 대인관계 기술이 없음을 넘어서, 또래 중 최악이었다는 것을 보여주는 대목이다.

현재 상황, 즉 좋은 관계가 깨지면서 레고계에서도 물러나고, 현업에 계신 분들과의 네트워킹도 더 이상 못 하게 된 상황도 결국 이 과거의 연장선이라고 생각한다. 솔직히 난 왜 대인관계가 어려운가, 이거에 대한 답은 모르겠다. 그렇지만 대인관계 기술이 나는 정말 없다는 것은 이미 10년 전, 그리고 그보다 훨씬 이전에도 인지하고는 있었다.

아무튼 대인관계 기술이 미흡하다 못해 최악 수준이니, 가해자들이 나를 괴롭힐 그 무렵에, 가해자가 아닌 사람들과도 좋은 관계를 맺지 못했다. 오히려 상당수는 가해자들 급으로 관계가 좋지 못했으니, 그들이 모두 가해자 편에 선 것이 아닐까 싶다.

사람이라는 존재는 사실 자기중심적이다. 사람뿐만이 아니라, 사실 모든 생명체 자체는 자기중심적인 메커니즘이 있었기에 진화할 수 있었다. 심지어 식물도 자신과 같은 종이 그 주변 환경에서 번성할 수 있도록 진화하는데, 짐승들은 물론이고 사람도 당연히 그랬을 수밖에 없다. 단지 사람에게는 이성이 있어서, 먹이를 잡으려고, 혹은 누가 잡은 먹이를 뺏으려고 달려드는 초원 속 사자들과는 다르게 협력할 수 있다.

다만 이 협력이라는 것도, 제일 기본으로 내려가면 자기중심적인 마인드에 기반을 두어 있다. 내가 못 하는 것을 저 사람에게 시키고, 대신 저 사람도 자기는 못 하는 것을 내가 해주면서, 둘 다 원하는 것을 온전히 받을 수 있게 되므로 협력하는 거지, 아무런 이득 하나 없다면 협력 자체를 하지 못할 것이다. 지금도 개인 간 혹은 기업 간 비즈니스나 동업, 협업 제안을 할 경우에도 양측에서 서로 이득이 있어야만 타결 및 진행, 실행되지 않는가!

그럼, 결국엔 사람도 동물이라 이기적이고 자기중심적이다. 그 말은 또 사람들은 알고 보면 정의감이 없다는 것이다. 단지 정의감이 있는 것처럼 '보이는' 것이다. 당장 우리 동네에 수배 명령 내려진 범죄자가 계속 출몰하면, 우리는 그 사람을 신고하려고는 한다. 말로는 정의감이라고 하지만, 대부분 신고자의 경우, 그 사람이 우리 동네 사람 중 누군가를 해칠 수 있고, 그게 내가 될 수도 있겠다는 생각에 신고한 것일 가능성이 크다고 생각한다. 설령 그게 아니라면, 최소한 신고했을 때 지급되는 금전적인 보상을 얻기 위해, 즉 현상금을 노리고 신고한 것일 수도 있다. 어쨌거나 그 범죄자를 신고하는 것이 자기에게 이득이 되기 때문에 하는 것이다.

그러면 이렇게 생각할 수 있다. 나를 가해한 사람들이 나에게 물리적인 폭력을 행사하고 있다고 치자. 하지만 나는, 지금 나를 괴롭히고 있는 가해자들과는 물론이고, 지켜보는 주변 사람들 그 누구와도 좋은 관계를 맺은 사람이 없다. 그럼 이 사람들은, 그중에 진짜 나에게 천운이 따라서 순수하게 정의를 추구하는 사람이 어디 있지 않은 한, 그 누구도 나를 돕지 않을 것이다. 어쩌면 나를 안 돕는 것이 그 사람들에겐 이득일 수도 있으니까.

엄밀히 말하면 이것은 학교폭력이고, 그 사람들이 결코 잘한 것은 아니다. 하지만 일반적인 학교폭력 케이스들과는 다르게, 내가 당한 것은 다소 쌍방 과실적인 요소가 있다. 그러니까 정말 크게 사건이 터졌을 법했던 수위를 당해도, 그냥 넘어간 경우도 많다. 그래도 한 번은 그 수위가 너무 심해서 징계위원회가 열렸고, 그 과정에서 증인들을 부른 적도 있었다. 그러나 이 증인들이 입을 모아서 내가 주장한 일들이 일어나지 않았다고 모두 말을 했고, 그에 따라 학교 측에선 단순한 주의와 훈방으로 끝냈다. 왜 모든 증인은 거짓말까지 해가면서 가해자 편을 들었는가? 왜냐면 그들은 내 편보다 가해자 편에 드는 것이 더 가치 있는 것이라는 계산 결과가 있다는 것이다. 그렇게 산출된 가치에 따라, 나를 아무도 도와주지 않았다. 그것이 결코 잘한 것은 아니지만, 그렇다고 나 역시도 잘한 건 없다. 내가 자초한 부분도 상당수 있기 때문이다.

하지만, 지금의 나는 당시 나를 가해했던 사람들, 그리고 그때 위증을 하면서까지 가해자 편에 선 증인들, 이 사람들에게 원래는 한바탕 복수하고는 싶었지만, 지금은 오히려 복수가 아닌, 이 사람들이랑 관계 회복에 중점을 두고 있다. 그래야만 이 사람들이 훗날 나에게 진정으로 사과할 것이고, 또 하나는 내가 피해자인 것은 맞지만 다소 쌍방 과실적인 내용이 있기에 그것이 어떻게 돌아올지 모르기 때문이다. 어쩌면 관계 회복을 하려는 이유 역시, 매우 자기중심적인 이유에 기반해서이다.

아무튼 형편없는 대인관계 능력, 내가 가진 가장 큰 문제점이다. 애석하지만 그것을 완벽하게 보강하기는 사실상 불가능할 것 같다. 결국 나는 아스퍼거 증후군을 판정받았다. 자폐의 일종인 아스퍼거 증후군을 판정받은 사실들 들은 후, 사실 나는 무덤덤했다. 너무 예상이 갔기 때문이다. 나는 주위 사람들과 달라도 너무 달라서, 나에게는 뭔가 내 능력으로는 어떻게 극복이 안 되는 필연적인 차이가 있을 것이라고 이미 짐작했다. 그러던 상황 속 아스퍼거 판정을 받은 것이다. 불행 중 다행으로, 자폐 종류 중 아스퍼거는 지능에 문제는 주지 않는다. 거기에 또 하나. 내 지능 수준을 검사해 보면, 상위권이라는 결과가 항상 나온다. 그러니까 그나마 아스퍼거 증후군을 앓고 있는 사람 중에선 정상적인 생활이 가능하다. 그리고 아스퍼거는 사실 그렇게 희귀한 병도 아니다. 모두가 아는 스웨덴 출신 환경 운동가 그레타 툰베리(Greta Thunberg)도 아스퍼거 증후군 환자이고, 심지어 현재 전 세계 최고의 부자 중 한 명인 일론 머스크도 아스퍼거 증후군을 앓고 있다. 그 외에도 사실 정도의 차이는 있지만 주위에 은근히 아스퍼거 혹은 기타 자폐 기질을 가진 사람은 많다.

아무튼 아스퍼거라는 병이 있기에 100% 일반인처럼 되기는 힘들 것이라는 전망이 나한테 주어졌다. 난 오히려 다행이라고 생각했다. 진단받기 전엔 나도 스트레스가 많았다. 왜 나만 안 될까, 항상 좋게 끝난 인연이 없을까. 나도 알게 모르게 고민하고 있었다. 하지만 오히려 그 원인을 알게 되니 모든 것이 싹 해결된 느낌이었다. 이제 나는 이것을 받아들이고, 아스퍼거 환자라는 특수 상황에 대한 맞춤형 전략으로 그나마 대인관계 기술을 키워나가려고 했다. 그리고 이 무렵 나는 대학에 입학한 것이다. 아주 좋은 기회가 생긴 것이다. 모든 것이 리셋되었다. 그럼, 이제부터 새 판에서 새롭게 연구를 시작하면 되는 것이다. 다만 끝내 건드릴 수 없었던 영역은 있었다. 그것은 책을 읽기 시작하면서 깨달음을 얻은 그 9개월, 그 시절이 되어서야만 이것을 어느 정도는 고칠 수 있었고, 그 상태로 이프랜드를 시작했기에 그나마 이프랜드에서는 비교적 수월하게 활동할 수 있었다.

하지만 그런데도, 그 9개월 동안에도 모든 것을 바꾸지 못했다. 그럼 더 길게 책을 읽으면 되지 않겠냐 싶겠지만, 9개월에서 멈춘 이유도, 8개월 정도 지나면서 계속 책을 읽어도 더 이상 느껴지는 것이 없어지기 시작했고, 그래도 조금이라도 더 바꿔볼 수 있지 않을까? 하는 마음에 한 달 정도는 더 읽어봤지만, 결국 진전이 보이지 않았기에 멈추게 되었다. 그렇지만 그동안 깨달음을 얻은 것은 명백하고, 그것을 실천해 나가다 보니 이전과는 세상이 다르게 보이는 것을 느꼈다.

사실 올 연초에 상황이 바뀌면서 막지 못했다는 과거의 되풀이, 그 과거를 완전히는 못 막았어도 확실히 느낀 것은 과거보다는 그 강도가 덜하다는 것이다. 예전 같았으면 그간 만난 모두가, 레고계, NFT계, Web 3.0, 심지어 이프랜드까지, 이 모든 영역에서 더 이상 활동이 어려워졌을 것이다. 하지만 그에 비해 지금 일어난 상황은 오히려 가볍다고 느껴질 정도이다. 비록 완전히 막은 건 아니지만, 이렇게 보면 마냥 절망적이진 않다고 생각한다. 레픽스 탈퇴 이후, 오히려 내 컨텐츠의 질이 훨씬 좋아졌고, 활동 반경도 넓어졌다. 굳이 내가 과거에 교류하던 레고계 사람들이랑 안 어울려도, 내 레고 작품을 좋아해 주는 다른, 새로운 사람들을 만났고, 다른 레고 크리에이터들과 같이 단체전도 해보고, 뭐 아무튼 나의 새로운 활동반경이 이전보다 더 넓게 잡혔다. NFT나 WEB 3.0도 완전히 끊어지진 않았다. 이프랜드는 시작부터 지금까지 쭉, 큰 문제 하나 없이 계속되고 있다.

어떻게 생각하면 이번 사건은 너무 미다스의 손처럼 잘 나가는 상황 속에서, 너무 교만해지지 말라는 의미로 생긴 작은 해프닝 정도일 수도 있다. 절대적으로는 체감한 시련의 강도가 절대 작지 않다. 하지만 그동안 내가 현재까지 인생의 암흑기라고 말할 수 있는 중고등학교 시절에 당했던 것들에 비하면, 새 발의 피 수준이다. 그럼, 이 해프닝을 통해, 약간의 브레이크가 걸리면서 폭주 기관차에 안정을 찾게 될 수 있었던 장치로 작용한 것으로 생각한다. 즉, 폭주 기관차가 더 이상 폭주하지 않게 해주기 위해 어쩌면 필요했던 순서와 과정 일부라고 볼 수도 있겠다 싶다. 그래서 내가 이 시기는 나한테 언젠간 필연적으로 와야 했을 시기라고 하는 것이다. 좋게 보면, 마치 산불을 막기 위해 숲속의 나무 일부를 먼저 태워버리는 것처럼, 이번 시련은 나중에 닥쳐올 뻔했던 더 큰 위험과 더 큰 시련을 막아주기 위해 온 작은 시련이라고 생각한다.

3. 왜 내 결말은 항상 이런가?

정말 내가 한 가지 간절한 소원이 있다면, 맨날 같은 레퍼토리로 마지막에 사람들을 잃는 것, 이젠 지긋지긋해서 그만하고 싶다. 고백하자면, 맨날 사람들과의 관계가 이래서, 제아무리 지금은 좋은 관계로 있더라도, 마음 한편엔 불안감이 있다. 보통 불안감도 아니다. 무슨 불안감이냐면, 이 사람이랑 지금은 매우 친하다고 해도, 이게 얼마나 갈지 모른다는 이 불안감을 항상 가지고 있다. 그러다 보니, 새로운 관계를 맺어도, 느낌은 꼭 절벽과 붙어서 걸어가는 느낌이다.

남아메리카에 있는 볼리비아라는 나라를 들어본 사람도 있을 것이지만, 대부분의 한국 사람에게 볼리비아는 무척 생소한 국가일 것이다. 축구 좋아하는 소수의 사람이나 들어봤을 법한

나라일 것이다. 다만 볼리비아라는 나라는 몰라도, 이 도로는
누구나 한 번은 본 적이 있을 것이다.

사진 출처: www.unsplash.com
원본 촬영자: Florian Delée

딱 봐도 위험해 보이는 이 도로가, 한때는 볼리비아의 수도
라 파즈(La Paz)와 교외 지역을 잇는 유일한 도로였다. 한국으로
비유하자면, 서울에서 경기도로 가려면, 저 도로를 지나지 않고선
불가능했던 것으로 보면 된다. 딱 보기에도 운전 좀만 잘못하면
절벽으로 떨어질 것 같은 느낌이 사진으로도 나지 않은가!.
오죽하면 도로 이름이 공식적으로는 북융가스 도로지만, 그
이름보다는 이 도로의 별명인 죽음의 도로라는 이름으로 더 자주
불린다. 다행히 현재는 더 안전한 다른 도로가 개통됨으로, 이제
이 도로는 스릴을 즐기는 일부 관광객들을 위한 관광 상품으로만

남아있다. 하지만 만약 그 더 안전한 도로가 없다면, 이 도로를 울며 겨자 먹기로라도 지나가야 할 것이다. 그럼, 어떻게 지나가야 무사히 지나갈 수 있을까? 참고로 이 도로의 폭도 그리 넓지 않다. 겨우 일반 승용차 2대 정도의 너비라고 한다. 심지어 절벽 쪽에는 안전을 위한 펜스 하나도 설치되어있지 않는다고 한다. 여기에 만약 큰 트럭이 지나가야 한다면, 모든 승용차는 강제로 일방통행을 해야 하고, 심할 경우 왔던 길을 그대로 되돌아가야 한다. 후진하면서.

이 도로를 지나는 방법은 사실 다양하다. 가장 원초적인 방법은, 그냥 다른 차들이 오든 말든 살고 싶으면 너희가 비키든지 해라 이런 식으로, 일명 배 째라는 식의 운전이 가능하다. 하지만 상식적으로만 생각해도 그 방법은 좋지 못함을 넘어서, 최악의 방법이라는 것을 알 수 있다. 그런 식으로 운전을 한 명만 한다면 그나마 다행이지만, 만약 서로 가야 하는 방향이 다른 차 두 대, 혹은 그 이상의 대수가 그렇게 이 위험한 도로에서 배 째라는 식의 난폭운전을 한다면 어떻게 될까? 그러다가 그렇게 모두 충돌사고라도 나서 절벽에 떨어지면, 결국 연관된 모든 운전자가 사망을 피해 가는 것이 기적일 것이다. 심지어 그 도로 위 선량한 운전자들마저 같이 피해를 볼 수 있으니, 그 방법은 정말 최악의 방법이라고밖에 말할 수밖에 없다.

그럼, 현실적으로, 가능한 최대로, 모두가 안전하게 지나가려면 어떻게 해야 할까? 이것도 상식으로 다 알 수 있지 않은가! 서행운전을 하고, 조심스럽게 이동해서 만약 반대쪽에서 차가 온다면 조심해서 서로 비껴가게끔 운전해야 할 것이다. 이러기 위해선 아주 정교한 운전 스킬이 필요할 것이고, 제아무리 뛰어난 운전 스킬을 가졌어도 이 도로를 완전히 지나가는 데에는 상당한 시간이 걸릴 것이다. 그러나 목적지까지 안전하게 가려면 별반 다를 수는 없다.

이렇게 위태위태한 도로가 지금 내가 느끼기로는 내 대인관계 관련 스킬의 수준이라고 생각한다. 그럼 나는 더 조심스럽게, 사람을 대할 때 최대한 사리면서 시작해야 할 것이다. 여기까지는 그래도 짧은 인생이지만 나름의 노하우로 파악했다. 하지만 점점 일이 잘 풀리다 보니 좀 더 행동이 과감해지기 시작한다. 이 길이 어느 날, 갑자기 이전보다 넓어 보이게 되니 더 과감한 시도를 하게 되었다. 그렇게 과감한 시도는 결국 실수로 이어지고, 실수 하나가 결국 걷잡을 수 없는, 돌이킬 수 없는 사태까지 만들면서 그렇게 좋았던 관계들이 깨지곤 했다.

물론 여기서 과감한 시도라고 하면, 내 컨텐츠에 도전적인 소재 및 활동반경의 확장을 얘기하지 않는다. 그것은 언젠간 해야 할, 좋은 과감한 시도이다. 그런 과감한 시도는 필수적이다. 마치

회사가 설립되고, 잘 되어갈수록 사업을 확장하듯이, 그런 면에서의 과감함은 사업 확장의 개념으로 보면 된다. 따라서 지금, 이 도로에 빗댄 이야기는 내 대인관계, 즉 과거에 어떻게 사람을 잃게 되어갔는지의 과정을 보여주는 것이다.

어쩌면 이번에 일침을 날려준 사태는 더 이상 절벽으로 떨어지지 말라는 의미로, 같은 결말로 일이 되풀이되기 전, 약간의 재정비 및 상황을 둘러보라는 뜻이 아닐까 싶다. 나는 천주교 신자이다. 그래서 이번 일에 대해 나는 하느님이 직접 개입해서, 더 큰 문제가 생기기 전에 작은 문제를 일으켜서 막아준 것으로 생각한다. 이렇게 위험한 도로를 운전하는데, 절벽에 떨어지기 전, 나도 모르게 펑크 난 타이어를 점검하라는 뜻으로, 잠시 앞으로 나가는데 장애물을 둬서 재정비할 시간을 주신 것으로 생각한다. 왜냐하면 그동안 난 너무 많이 절벽으로 떨어지면서 지냈기 때문이다.

물론 이번 사태로, 여러 사람을 잃었다. 그러나, 그 사람들을 지금 잃지 않았다면, 머지않아 더 많은 사람을 잃었을 것이다. 어느 순간 그 좁고 위험한 도로에서, 모든 것이 잘 되니까 배 째라는 식의 운전을 하기 전에 다시 한번 주변을 둘러볼 필요성이 있었지만 내가 그것을 못 느끼고 있었다. 그렇게 운전자 모르게 폭탄을 싣고 달리려는 차는 참 다행히도 강제로 멈추게 되는 요인이 생김으로서 이 폭탄을 결국 터지기 전에 처리할 기회를 얻게 되었다. 어쩌면, 이것은 언제 다시 올지 모를, 심지어는 다시는 오지 않을 수도 있을 지난 내 모든 인생에서의 대인관계 실패 사이클을 끊을 절호의 기회일 수도 있다.

그렇다. 이 사건을 이렇게 희망적으로 바라보게 된 것도, 이렇게 문제가 생기자마자는 못 봤다. 절망에 휩싸여있다가 시간이 한참 흐르고, 계절이 두 번 바뀌고 나서야 이 메시지를 파악할 수 있었다. 어쩌면 내가 나름의 파악이라서, 실제로 던져주려는 진짜 메시지는 아직도 파악 못 했을 수도 있다. 그래도 이 과정은 언젠간 왔었어야 할, 필요했던 과정이다. 이렇게 크게 혼나고도 어쩌면 몇 년 만에 다 잊고 다시 폭주 기관차인 것처럼 달릴 수도 있다. 참 못나 보이겠지만 그것이 사람이다. 이제 나에게 주어진 다음 과제는, 기존에 항상 한결같던 결말을 가진 대인관계 사이클을 본격적으로 깨는 것, 그리고 폭주 기관차 모드로 또다시 달리다가 다시 이런 사고가 터지지 않도록 하는 것이다. 이 과제들을 아마 내 인생의 다음 10년 동안 해결해야 할 과제들이 아닐까 싶다.

PHASE 7

현실과 싸우면
이길 수 없다

1. 현실이라는 독특한 친구

현실이라는 것은, 사람으로 치면 아주 교활하고 기회주의자인 친구와 같다고 생각한다. 현실이라는 것은 물리적인 실체가 없다는 것이 그나마 다행일 것이다. 가끔 판타지 영화, 드라마, 게임 등에서 단골로 등장하는 소재 중 하나가 현실을 바꾸는 능력이 있는 신비한 물건을 보면, 이 물건을 놓고 등장인물들끼리 싸울 때가 아마 어디가 선한 쪽이고 어디가 악한 쪽인지가 제일 극명히 보이는 장면이라고 생각한다. 항상 그런 아이템은, 악한 쪽은 그것을 차지하려고 하고, 선한 쪽은 그 아이템을 그 누구도 쓰지 못하게 하려고 한다. 근데 왜 그럴까? 악당들의 손에 그게 들어가면 그 세계에선 재앙이 오기에 선한 존재들이 막는다는 답도 내가 생각하기론 반쪽짜리 답이다. 더 근본적으로 들어가서, 왜 악당들이 그걸 확보하는 데 목숨을 걸까? 그럴 만한 가치는 어디서 나오는가?

　이러니까 현실이라는 것이, 사람으로 변했다면 기회주의자일 것이라는 것이다. 여유로운 사람에게는 현실이 한껏 여유롭고, 관대하고, 아름답다. 반면, 조급한 사람에게는 현실만큼 냉혹한 것이 없다. 현실은 시궁창이라는 말을 쓰는 사람을 보면, 삶이 여유로운 사람들의 입에선 농담으로도 잘 안 나온다. 대부분 그 말을 쓰는 사람들은 경제적으로 여유롭지 못하거나, 심적으로 불안하거나, 아니면 열등감이 강하거나 등 어딘가 조급한 면이 있는 사람들이다. 물론 부자들이라고 그 말을 안 쓰는 것은 아니지만, 부자들이 그 말을 쓰는 경우는 십중팔구 자기보다 능력이 현저히 떨어지는 사람들을 조롱하듯 갑질할 때다. 갑질을 하는 이유도 결국 그 사람들은 돈은 많지만, 심적으로는 뭔가 불안한 상태라는 점을 보여주는 것으로 생각한다.

　MBC 예능 프로그램 "태어난 김에 세계일주"에서 인도 편이 나왔을 때, 출연진인 기안84 님과 여행 유튜버 빠니보틀 님이 인도의 재벌을 만나러 간 에피소드가 있다. 뉴델리 부촌에 사는 재벌을 만나러 가기 전, 숙소에서 출발할 때를 보면, 그 숙소 근방에서는 구걸하는 소년들이 보였다. 그러다가 뉴델리 부촌에선 그런 소년들이 없었고, 뉴델리라는 도시의 다른 면을 본 기안84 님의 표정이 아직도 너무 인상적이었다. 그리고 그 재벌을 만나러 갔을 때, 나는 그 재벌이 얼마나 여유로워 보이는지, 저게 진짜 재벌이구나 싶었다. 숙소 근처에서 구걸하는 소년의 손은 정말 애처롭고, 조급함을 넘어서서 절박해 보였다. 그렇지만 그 재벌은, 여행자 신분이어서 옷차림도 허름한 채로 만나러 온 기안84 님과 빠니보틀 님을 보고, 여행자 신분이어서 허름하게 입은 옷차림 때문에 사과하려는 빠니보틀 님에게, 오히려 본인도 여행 갈 땐 저렇게 입는다는 농담으로 모두에게 편한 분위기가 조성되도록 만들었다. 정말 여유로워 보였다. 이 재벌에게 느껴지는 뉴델리라는 도시와 그 빈민가에 사는 소년에게 느껴지는 뉴델리라는 도시는 전혀 다르게 느껴질 것이다. 한쪽에겐 기회의 땅이지만, 반대편에서는 정말 하루하루 살아가기도 힘든 곳일 것이다. 확연히 그 재벌과 그 빈민가에 사는 소년에게 현실이 대하는 태도는 매우 다를 것이다.

어떤 사람은 그 에피소드를 보고, 인도의 빈부격차를 보여준 일화라고만 치부하겠지만, 나에게는 단순 빈부격차를 보여준 것 이상의 의미를 주었다. 그 재벌과 빈민가 소년을 놓고 봤을 때, 내가 여유로워야만 현실도 나한테 다정하게 다가올 것이고, 내가 여유롭기 위해서는 당연히 경제력도 어느 정도 있어야 할 것이고, 마음도 좀 더 관대하고 여유로워져야 한다는 것을 느꼈다. 사실 나는 경제력을 아주 쉽게 끌어올릴 수 있다고 생각하지는 않지만, 마음의 여유를 갖는 것, 그것이 돈 버는 것보다 훨씬 어렵다고 생각한다. 스크루지처럼, 마음의 여유는 없는 부자들도 사실 없진 않다. 하지만 그런 사람들에게는 유리 천장이 몇 겹으로 있어서,

일반적인 수준, 즉 평균보다는 돈 혹은 재산이 많을 수는 있어도, 사업 확장 혹은 파트너십 체결 등에 걸림돌이 많아짐으로써 어느 수준 이상으로 올리기는 사실상 불가능하다고 본다. 내가 우려하는 것이 이것이다. 만약에, 내가 하는 활동 중 하나가 잭팟이 터져서 떼돈을 벌었다고 하자. 이때, 내가 결국 스크루지의 환생 본이 되는 것, 그것이 두렵다. 그러면 마음을 고쳐먹으면 되지 않느냐고 반문할 것이다. 그렇지만 이것을 인지해야 한다. 마음을 고쳐먹는 일도 돈을 모으는 과정처럼 처음엔 천천히 진행된다. 아주 느린 속도로. 물론 갑자기 머리를 얻어맞은 듯한 깨달음을 얻고 빠르게 변화할 수는 있다. 하지만 그 확률이 카지노 슬롯머신에서 잭팟을 연속 3번 터트릴 확률보다도 낮다고 생각한다. 지금 이걸 쓰고 있는 나도, 정작 그런 현상이 생기면 어떻게 변할지 모른다. 그러니까 앞서 언급한, 그 고통의 3개월이 다시 온 것일 수도 있다.

다시 맨 처음에 얘기한 판타지 영화 이야기로 돌아오자. 왜 악당은 현실을 조작하는 마법을 가진 아이템을 차지하려고 하고, 히어로들은 그것을 아무도 못 쓰게 하려고 할까? 왜냐하면 악당들은 매우 조급하기 때문이다. 자기가 원하는 바를 빠르게 이루려고 해서일 수도 있고, 아니면 자신이 한 짓에 대한 심판을 면하거나, 아니면 결과를 뒤집거나, 더 나아가 그 나라의 왕이 되도록 현실을 조정해서 아예 그 심판조차 못 받을 위치로 올라가거나, 이런 종류의 행위를 하기 위해 차지하려는 것이다.

한마디로 말하면, 이대로 현실이 흘러간다면, 본인에게 매우 상황이 불리하게 흘러갈 날이 곧 오기 때문이다. 사필귀정이라는 말이 있지 않은가! 즉, 그 아이템을 차지하는 순간의 직전까지도, 현실은 자신의 편이 아니기 때문이다. 그러나 그 아이템을 차지하면, 그 사필귀정으로 흘러갔을 법한 흐름을 바꿀 수 있다. 그렇게 그 아이템을 차지해야만 비로소 현실이 자신들의 편으로 오기 때문이다. 반면 히어로들에게는 현재 상태를 유지하는 것이 본인들과 일반 주민들에게 유리하기에, 그 누구도 그 아이템을 사용하지 못하게 하려는 것이다. 그들에게는 현실이 매우 다정한 친구고, 자동으로 현실은 그들의 편에 서 있기 때문이다.

그나마 판타지 세계에서는 그런 신비한 마력을 가진 사물이 존재할 수도 있지만, 현실 세계에는 그마저도 없다. 그래서 조급해하는 사람들은 아무리 발악에 발악해도 자신의 처지를 쉽게 뒤집지 못한다. 가난했다가 자수성가를 한 사람들을 보면, 대부분은, 그 과정의 시작은 자신의 처지를 한발 물러서서 객관적으로 보는 여유를 일단 가져보는 것에서 시작한다. 그 후 이 처지를 벗어날 해결책을 하나하나 생각하고, 거기에 에너지를 쏟다 보니 자수성가하게 되는 것이다. 난 이것이 자수성가의 원리라고 생각한다. 추가로, 자수성가는 절대 홀로 자수성가할 수 없다. 특히 요즘 세상에서는. 즉, 누군가가 도와줘야 자수성가가 되는 시대이다. 그리고 그 도움을 받기 위해서는, 절대 조급해하면 안 된다. 그렇게 초반에, 여유롭지 못할 상황에도

억지로라도 여유를 가져보려고 하는 것이 자수성가의
첫걸음이라고 생각한다.

　　현실이라는 독특한 친구의 모습을 이렇게 한 번 살펴봤으면,
현실이 적이 될 경우는 어떤 경우일까? 앞서 말한 대로 조급한
사람들에게는 현실이 정말 냉혹하고, 냉담하고, 심지어 나를
조롱하는 느낌마저 든다. 그럼, 유형별로 조급함을 나눠봐서,
그거에 맞게 어떻게 현실이 적도 될 수 있는지를 알아보겠다.

　　다음 장의 내용은 한 번은 짚고 넘어가야 하는 내용이라고
생각한다. 마음 단단히 먹고, 다음 이야기를 써 내려가 보겠다.
지금, 이 이야기를 쓸 생각을 하니, 나도 마음이 영 편하진
못하다. 그래도 한 번, 꼭 짚어야 할 이야기이니 써보겠다.

2. 현실이라는 독특한 적

조급하면 현실은 나에게 적이 된다.
이 점을 명심해야 할 것 같다.

이 장 내용은 다시 한번 말하지만, 이 부분이 이 책에서 제일
무겁고, 어두울 것이다. 그래서 원래 이거 관련해서 할 이야기는
더욱 많지만, 최대한 짧게 얘기해 보겠다.

우선, 내가 생각하기에 사람이 조급해지는 유형은 크게
3가지인 것 같다. 그 3가지는 사실 앞장에서 살짝 언급했다. 이전
장에서 눈썰미가 있었다면 알았을 것이다. 그리고 사실, 듣고 나면
매우 당연해 보이는 조급함이다.

그 유형들은:

1. 경제적인 여유가 없어서 나오는 조급함
2. 심리적인 안정이 없어서 나오는 조급함
3. 여러 가지 사유들로 열등감을 느껴서 나오는 조급함.

일단 이 유형들을 다루기 전, 조급함과 간절함은 분리하고 생각해야 한다고 말하고 싶다. 당장 축구 경기만 봐도, 조급해 보이는 팀이 왜 조급할까? 상대팀한테 점수로 지고 있거나, 아니면 피파 랭킹 기준 우리 팀보다 현저히 낮은 수준의 팀을 상대하고 있는데도 득점 하나 못 하고 있든지, 뭐 그런 상황에 놓인 팀이 조급해 보이고, 그런 조급한 상황에서 승리를 거두는 팀은 적다. 반면 간절함이 돋보이는 팀은 더 열심히 뛰다 보면, 소위 이변이라고 할 수 있는, 예상치 못한 승부 결과를 내기도 한다. 즉, 간절함은 좋은 결과로 이어질 수 있지만, 조급함은 좋은 결과로 이어질 확률이 매우 희박하다.

다시 돌아와서, 위 세 가지 유형에 대한 각각의 조급함을 하나씩 다뤄보겠다. 우선 첫 번째. 경제적인 여유가 없어서 나오는 조급함. 말이 필요 없다. 기본적인 생활을 위한 자본이 없으면 조급할 수밖에 없다. 당장 생존과 걸린 문제니까, 본능에 의해 조급함이 나오는 것이다. 진짜 비범한 사람이어야만 자신의 경제적으로 여유롭지 못한 상황을 차분히 인지하고 해결책을 찾을 수 있을 것이다. 그러나 대부분은, 그런 처지에 놓였을 때, 하루하루가 패닉일 것이다. 경제적인 여유가 없어서 나오는 조급함에 대해선 더 이상 말 안 해도 잘 알 것이다. 그럼, 바로 두 번째 유형으로 넘어가겠다.

심리적인 안정이 없어서 나오는 조급함, 사실 대부분은 경제적인 여유가 있다면 심리적인 안정이 자동으로 따라온다고 생각한다. 그러나 알고 보면 항상 따라오지만은 않는다. 오히려 나는 이 심리적 안정이 먼저 받쳐줘야 한다고 생각한다. 왜냐하면 내가 한동안 심리적으로 불안정했고, 지금도 많이 안정화되긴 했지만 완전하게 안정적이라고 보지 않는다.

정말 인생의 암흑기였던 대학교 이전의 학창 시절, 그 누구도 나를 눈길 하나 안 주던 그 시절, 그런 상황 속에서 어떻게 심리적으로 안정을 가질 수 있을까, 거의 불가능하다. 심지어 그 나이대에는 더욱 어렵다. 심리적으로 불안정함을 넘어서, 호의라는 것을 받아본 적이 거의 없다 보니 그냥 내 눈에 보이는 세상은 순전한 암흑이었다. 당연히, 그 시점의 현실은 나에게 너무 냉랭했다. 다가오는 사람들은, 호의를 보이는 사람들은, 절대 순수한 목적으로 다가온 것이 아닌, 내가 가진 뭔가를 뜯어가려는 목적만 가지고 있었다. 보이스피싱하는 사람들의 타깃은 절박한 사람들이라고 하지 않은가. 나는 보이스피싱은 아니지만, 비슷한 메커니즘으로, 뭔가를 뺏어가려는 목적을 가진 사람들만 꼬였다.

여기서, 심리적인 불안감이 어쩌면 왜 제일 위험한지, 그 이유를 알아보겠다. 사실 그 마음을 악용한 사람들이 일차적으로 잘못했지만, 그걸 당하는 과정을 밖에서 보면, 당하는 사람을 보는 시선이 처음에는 연민이 생길 수 있어도 결국에는 피해자 역시 한심한 사람으로 보게 될 것이다. 그 이유는 간단하다. 호의를 받아본 적이 없다 보니, 호의라는 것을 사실 모르고 살고 있었다. 그러다가 그 사람이 마냥 좋은 것을 주니까 그 사람 영향권 안에 들어가기는 너무 쉽다. 여기서 만약 그 사람이 진짜 악랄한 사람이라면? 바로 이용할 계획을 시행할 것이다. 그렇지만 사실 내 영향권 안에 있다고 한들, 그 사람을 이용할 계획으로 바로 넘어오게 하는 것은 힘들다. 왜냐하면, 그 사람은 따라올 줄도, 넘어올 줄도 모를 정도로 암흑기만 있었기 때문이다.

만약에 이 악랄한 사람이 비교적 어설펐다면 답답해하다가 결국 버릴 것이다. 그러나, 매우 교활한 사람이라면, 넘어올 줄도 모른다는 것을 인지한 순간, 맞춤형으로 전략을 바꿔서 그 사람이 어떻게든 넘어오게 한다. 문제는, 넘어온 사람은 자기가 넘어온 줄도 모르고 있다. 그렇게 순진한 피해자가 생기는 것이다.

앞서 말한 경우 외에도, 심리적 불안감으로 인하여 기껏 얻은 경제력과 명성도 날리는 것은 한순간이다. 심리적으로 불안정해지기 시작하면서 마약 등에 손을 댄 후, 그렇게 패가망신한 한때 스타였던 인물들만 보면 알 수 있다. 이제 심리적인 불안감이 왜 더욱 위험한가를 알게 되었을 것이다. 그 외에도, 갑질하는 재벌들, 돈만 밝히는 부호들, 이런 사람들은 부는 이뤘지만, 마음 한편에는 심리적으로 불안한 상태일 수도 있다는 것이다. 어쩌면 그런 것들 때문에 더욱 돈에 집착하는 것이 아닐까라고 조심스레 추측해 본다. 그러다가 갑질 논란, 각종 태도 논란이 수면 위로 올라오면서 불매운동이 본격화되고, 그렇게 한순간에 영업 이익은 적자로 돌아서고, 심할 경우 회사 부도까지 이어지게 된다. 그렇게 심리적 불안감이라는 것이 얼마나 무서운지, 우리는 뉴스를 통해 수많은 사례를 보고 자랐다.

마지막 유형인 열등감에 의한 조급함. 사실 세 유형 중 어쩌면 제일 극복하기 쉬운 것일 수도 있고, 동시에 제일 극복하기 어려운 유형일 수도 있다. 열등감을 극복할 수 있는 솔루션은 사실 우리 앞에 이미 있다. 단, 그 솔루션은 어떤 한 박스 안에 담겨있고, 그 솔루션이 담긴 박스 주위에는 빈 박스 혹은 도움이 되지 못한 것들이 들어있는 박스들이 같이 잔뜩 놓여있다. 그 박스들을 일일이 확인하다 보면 언젠간 그 솔루션을 찾는 것은 시간문제인데, 여기서 중요한 것은, 올바른 박스를 찾기 전에는 주변에 누가 오든, 보지 말아야 하고, 누가 어떤 소리를 내든, 한 귀로 듣고 한 귀로 흘려야 한다.

앞선 두 유형과는 달리, 이 유형은 모두가 같은 공간에서 각자의 솔루션이 담긴 그 박스를 찾기 위해 서로 경쟁 중이다.

그러나 모두에게 통용되는 공통 솔루션은 없다. 누가 설령 자신의 박스를 찾았을 때, 옆에서 누가 그것을 뺏어서 자신의 답으로 쓰려고 해봤다 아무런 도움도 되지 못할 수도 있다. 수천만 개의 박스 속에 적힌 내용은 모두 다를 것이며, 같이 박스들을 찾는 사람들 각자에게 맞는 고유한 박스가 있다. 그 고유한 박스를 찾는 것이 바로 열등감에 의해서 발생한 조급함을 끝내는 유일한 길이다. 그럼 그냥 묵묵히 찾으면 되지 않으면 되냐라고 생각하겠지만, 사람 심리가 그게 쉽게 되지 않는다. 누가 만약 먼저 자신만을 위한 솔루션이 담긴 박스를 찾고 좋아서 날뛰는 것을 보면, 대부분은 흔들리기 마련이다. 그럼 더욱 조급해진다. 그럼, 결국에는 조급함의 무한루프에 걸려서 자신만의 박스를 찾는 과정이 매우 어려워진다.

그렇게 상당수는 결국 자신의 박스가 없다고 섣불리 단언하고 더 이상 자신의 박스를 찾는 것을 포기하게 된다. 그리고 자신의 박스를 찾아내서 잘 나가게 된 사람들에게 열등감을 느끼게 되고, 어떤 경우에는 열등감이 생기다 못해 결국 화가 나서 박스를 찾은 사람에게 해를 가하려고 들 수도 있다. 뉴스에서도 가끔 어떤 살인범이 잡혔을 때, 그 살인 동기가 누가 부러워서, 누가 잘 나가는 것에 대한 시기심이 생겨서, 등 이런 열등감으로 인한 경우를 볼 수 있듯이, 열등감에 의해서 조급함이 생길 때 역시 현실은 매우 냉랭해진다.

사실 이 조급함에 관한 이야기는 아직도 할 말이 매우 많이 남아있다. 그렇지만 이와 관련된 사례를 직접적으로 가져오기에는 사회적으로 민감한 이슈인 경우도 많고, 또 내가 잘 알지 못하는 내막의 사건을 섣불리 가져왔다간 문제가 될 수도 있으니, 여기까지만 말하겠다. 다만, 그럼 조급함은 어떻게 해결해야 할까? 가장 좋은 것은 조급할 상황을 만들지 않는 것이고, 그런 상황이 생기기 직전에 미리 탐지해서 대비하는 것이다. 그렇지만, 태어날 때부터 집안이 어렵다거나 등의 경우로, 처음부터 조급한 상황이면 어떻게 해야 할까? 바로, 쉽진 않겠지만 이 조급함을 버려야 한다는 것이다. 최소한 버린 척이라도 해야 한다.

　　여기서 포인트. 버린 '척'이라도 해야 한다는 것이다. 자, 여기서 몇몇은 실제로 실행해야지, 단순히 뭘 하는 척이 뭐가 중요하냐는 반문을 할 것이다. 그렇지만 뭘 하는 척이라도 해보라는 말속에 담긴 내가 말하고 싶은 메시지는, 놀랍게도 무언가를 하는 척이라도 하는 것이 실제로 그 무언가를 실행하는 것, 그리고 그 과정들에 따라 성취를 하나하나 해나가는 과정의 첫 단계일 수도 있다는 것이다. 여기에, 지금 당장 뭘 실행하기가 진짜 힘든 경우에는, 그것을 하는 척을 하는 것도 엄청난 에너지를 요구하는 일일 수도 있다는 메시지도 내포하고 있다. 따라서, 뭔가를 바로 실행하기 어려운 상태라면, 제일 기본적이고 쉬운 변화부터 주는 척이라도 하는 것 역시 매우 의미가 있는 일이라고 생각한다.

다시 돌아와서, 조급하면 절대로 현실은 내 편이 되지 않는다. 왜냐하면 조급한 사람은 이걸 탈피하려고 발악할 텐데, 결국 이건 현실과 싸우는 것이다. 하지만 현실과 싸우려고 하면, 즉 이미 현실을 적으로 놓고 본다면, 현실 역시 그 사람을 적으로 볼 것이고, 현실의 강력한 힘을 힘으로 타파할 수 있는 사람은 지구상에 그 누구도 없다.

그러나, 만약 불가피하게 조급한 상황에서부터 시작해야 한다면, 어떻게 해야 그나마 현실이 나에게 연민이라도 느끼게 할 수 있을까? 어떻게 현실이라는 적을 내 편으로 끌어오게 할 수 있을까? 그 이야기는 바로 다음 절에 이어서 하겠다.

3. 나의 현실은 곧 나의 역량이다.

현실은 매우 계산적이다. 딱 내가 한 만큼만 돌려준다. 조급한 사람은 현실을 적으로 두고 싸우려고 하므로, 현실도 적에게 좋은 것을 줄 리가 없다. 반면, 싸울 의도 없이 묵묵히 자신만의 역량을 키우려는 사람들은, 현실은 바로 그것을 인지한다. 그리고 때가 되었을 때, 작은 기회부터 하나씩 풀어주기 시작한다. 그러다가 현실이 어느 정도 그 사람을 신뢰하기 시작하면, 기회를 더욱 많이, 자주 주기 시작한다.

여기서 나올 수 있는 결론은, 나의 현실은 곧 나의 역량이라는 것이다. 내 역량에 맞게 현실이 바뀌는 것이다. 물론 대전제는, 조급함 없이, 현실과 싸우려고 하지 않을 때의 경우이다.

그렇다고 현실에 무작정 순응만 하라는 것도 아니다. 현실도 마냥 청렴하고 깨끗하진 않아서, 현실이 가진 부조리도 있다. 이 책에서 내가 현실과 싸우지 말라고 한 것은 그거마저 순응하라는 것은 아니다. 현실은 교활하다. 자신이 가진 부조리에도 무조건 순응하는 사람들에게는 현실이 그 사람을 자기 노예라고 생각하고, 다시 막대할 것이다. 현실이 가진 부조리에 대해서는 뭐라고 해야 한다. 이른바 할 말은 해야 한다는 것이다. 그래야 현실이 진정한 친구가 되어줄 것이다. 그러나, 이 할 말을 할 때 역시, 과하게 감정적으로 접근하거나, 조급한 면을 보이면 안 된다. 냉정하고, 이성적으로 접근하는 것이 내 역량을 보이는 것의 시작이자 기본이다.

한번, 내 인생 속에서 위와 관련된 사례를 하나 가져와 보겠다. 조급함을 떨쳐버리기 시작한 대학 생활을 시작했을 때의 무렵부터 보자. 신입생 단톡방에 초대되면서, 곧 나랑 같이 수업을 들을 동기들이랑 대화해보고, 대화가 잘 통하는 친구들과도 대화해보면서 정말 즐거웠다. 중고등학교 시절이 암울했던 나는, 대학 입학도 전에 세상에 이런 친구들도 있을 수 있다는 생각이 들었을 정도였다. 특히, 신입생 학습 능력 평가에서 시행한 모의 토익시험을 과에서 제일 높은 점수를 땄다는 사실이 퍼지면서, 그걸 시작으로 내 인지도가 갑자기 솟았다. 인생 처음으로 느껴본, 내 주변 사람들이 나에게 긍정적으로 관심을 보인 것이었다. 심지어 일부 다른 과 애들도 그 소식을 듣고, 그렇게 같은 교양을 듣는 몇몇 타과생들과도 친해졌다. 그냥 인생이 180도 달라지기 시작했다. 그리고 그 자신감에 힘입어 여러 가지 활동도 했다.

물론 처음에는 내 관심 분야에 국한된 활동들로 시작했지만, 그것도 정말 진정으로 즐거웠다. 심지어, 나중으로 가면 나는 대학생이지만, 직장인들과도 여러 커뮤니티를 통해 교류하면서, 또 내가 알지 못하는 영역에 대해서도 조금 들었다. 그렇게 즐거운 나날을 보내던 중, 애석하게도 코로나19 팬데믹이 터지면서 잠깐 그런 활동들을 중단해야 했다. 하필이면 그때, 나의 어릴 적 친구들인 캐나다 친구들을 다시 보고 싶어서, 캐나다로 워킹홀리데이를 갈 준비하던 찰나였는데, 할 수 없이 그 계획은 결국 시행할 수 없었다. 그래서 사실 코로나19 팬데믹 초기에는 약간 우울한 상태로 보냈다. 그나마 다행인 것은, 2020년 워킹홀리데이 준비를 위해 휴학을 한 상태였고, 그러다 보니 전국에 있는 모든 학교가 겪은, 수업 일자가 마구 뒤틀려서 생긴 혼란을 피할 수 있었다.

그리고 2021년 복학을 잠깐 했지만, 코로나 팬데믹은 이어지고 있었다 보니 온라인 수업을 듣게 되었다. 여전히 집 밖으로는 잘 못 나가던 때였다. 그러는 동안 나는 집에서 있는 레고 미니피규어들로 사진을 이전과 비교했을 때 전례 없는 양으로 찍고 있었고, 또 레고 커뮤니티 및 팀들의 도움을 받아서,

사진 연출 및 편집 실력이 기하급수적으로 늘어갈 때였다. 그러던 와중에 이프랜드를 만나게 되면서, 그간 키운 사진 연출 실력을 모두에게 보여줄 기회가 생긴 것이다. 이프랜드 활동 관련 이야기는 이전 작품에 자세하게 다뤘으니, 여기서는 그 이야기는 깊게 다루지 않겠다. 아무튼 이프랜드에서 공식 인플루언서로 활동할 수 있는 자격이 주어진 "이프렌즈" 활동이 본격화됨에 따라 2022년, 다시 휴학하게 되었다. 이때 다시 이프랜드 및 거기서부터 파생된 활동들에 전념하게 되면서, 다시 한번 나는 새로운 세계를 겪었고, 그로 인해 내면에 많은 변화를 얻게 되었다.

여기서 중요한 점! 이프랜드는 왜 날 그렇게 반겼을까? 정확히 말하면, 이프랜드를 해나가는 현실이 나를 왜 그렇게 반겼을까? 그리고 지금은 그 정도가 더욱 강해졌다. 왜일까? 바로, 내 컨텐츠 제작 능력이 좋아진 것이다. 개인 역량이 엄청 발전한 것이다. 코로나19 팬데믹 때문에, 내가 진정으로 원해서, 주도적으로 계획하던 캐나다로 워킹홀리데이를 가려는 계획은 수포가 되었다. 그리고 무엇보다, 정부 차원으로 전국적으로 시행한 강한 사회적 거리두기 정책들로 인하여 내 맘대로 바깥에 나가지도 못했다. 그렇다 보니 무료한 생활 속, 레고 사진을 많이 찍기 시작했고, 그렇게 사진 실력이 늘면서 이프렌즈 활동을 하는 데 나만의 강점이 더욱 강화된 것이다.

역량이 늘어남에 따라, 이프랜드를 생전 모르는 사람, 아니 더 나아가, 메타버스를 생전 겪어본 적이 없는 사람에게 이런 기회가 온 것이다. 현실도 결국 늘어가는 내 역량을 보고, 이프랜드라는 작은 기회를 준 것이다. 이프랜드, 시작은 작은 한 걸음이지만, 그 이프랜드를 통해 파생된 그 많은 것들을 보면, 내 인생에 이프랜드가 미친 영향과 파급력은 이전의 경험과 기회들과는 차원이 다를 정도로 비교가 안 된다.

내 현실이 제대로 바뀐 계기이다. 역량이 늘어가는 것을 보면서, 그렇게 암울했던 지난날들의 나와 비교했을 때, 현실이 결국 나에게 연민이라는 것을 느끼기 시작했을 것이다. 어쩌면 캐나다 워킹홀리데이가 무산된 것도, 그 당시에 현실이 어쩌면 나를 도우려고 했었던 것일 수도 있겠다는 생각이 든다. 그것이 무산됨을 통해, 또 집 밖으로 잘 나가지도 못했던 상황을 통해 할 수 있는 것들에 큰 제약이 생기고, 그러다 보니 자연스레 사진만 찍던 시절이 생김으로서, 내 컨텐츠의 퀄리티가 늘기 시작했다.

무엇보다, 그 시점에서 준비하고 있었던 캐나다 워킹홀리데이는 무산되었지만, 그로부터 2년 후인 2022년, 결국에는 내가 밴쿠버를 재방문해서 반가웠던 친구들을 다시 만났다. 즉, 현실은 결국에는 나를 캐나다로 다시 보내줬다. 이 점도 보아하니, 워킹홀리데이를 못 가게 한 진정한 이유는, 나를 어떻게든 캐나다로 못 가게 하려는 것이 아닌, 그때는 일단 내

개인 역량을 키울 수 있게끔 판을 깔아준 것이라고 더욱
확신하게 되었다. 그리고 알맞은 시점에 나를 캐나다로 보내줬다.

심지어 워홀로 갔다면 일하느라 바빴을 텐데, 관광객
신분으로 가니까 상대적으로 편안하게 내 어릴 적 추억 속의
밴쿠버 길거리를 다녔고, 그렇게 여유롭게 과거의 추억도 다시
떠올리면서, 진정으로 즐기고 힐링하고 올 수 있었다. 더욱
절묘한 포인트는, 캐나다로 출국할 그 무렵에 바로 번아웃이 오기
시작할 시점이었는데, 딱 그 시점에, 정말 힐링이 필요했을
시점에 캐나다 여행이라는, 오랜만에 마음의 고향을 방문하면서
힐링할 기회가 왔다.

참, 현실이라는 친구는 어찌 보면 재밌는 친구다. 내가
현실을 대하는 방식과 똑같은 방식으로 대하고, 또 내가 현실에게
준 만큼만 주지만, 한편으로는 신뢰가 쌓이면 먼저 챙겨주기도
하고, 참 재밌다는 말로밖에 표현을 못 하겠다. 싸워서는 이길 수
없지만, 현실을 내 편으로 만드는 순간 든든한 지원군이 되니까.

4. 자기 이해력을 흐리게 하는 그것, 자만심.

그러면, 처음에 언급한 그 3개월의 고통이 왜 일어났는지, 현실이 왜 갑자기 나한테 돌변했는지, 이 관점으로 다시 한번 보겠다. 나의 현실은 곧 나의 역량이다. 이해를 돕기 위해 역량이라는 것을 x 라는 변수에 담긴 정해진 하나의 수치로 보자. 코로나19 팬데믹 동안 x 값, 즉 내 역량이 커진 것은 사실이다. 그러나, 사람의 눈은 어느 순간 모든 게 잘 되기 시작하면, 이 x 값이 실제로 담고 있는 값보다 커 보인다. 쉽게 말해, 잘 되는 일만 연속적으로 일어나면 뭔가 실제 담긴 수치보다 더 커 보이는 듯한 착시가 생기기 시작할 수 있다. 그때 정말 폭주 기관차처럼 미쳐 날뛰게 된다. 그리고 그 착시를 통해서 증폭되어 보이는 x 값이 내 역량이 진짜라고 믿는 순간, 자만심이 생기는 것이다.

그러나 현실은 나만 그렇게 보이는 x 값, 즉 착시로, 혹은 임의로 증가한 x 값을 내가 보고 있는 그 값으로 인정해 주지 않는다. 즉, 내가 만든 착시로 증폭되어 보이는 내 역량을, 실제 내 역량으로 인정해 주지 않는다. 그래서 언젠간 브레이크를 걸고, 내 역량이 실제로는 어느 정도인지를 다시 보게 하려는 시도를, 성공할 때까지 계속할 것이다. 나에게도 역시나 그렇게 했고, 그렇게 암울한 3개월이 온 것이다.

한 번 이것을 변수 x 가 아닌, 임의의 숫자로 다시 표현해 보자. 변수 x 가 100이라는 값을 놓고 볼 때, 팬데믹 전에 내 역량은 70 정도라고 치면, 팬데믹을 거치면서 역량을 100으로 올려둔 것이다. 그러나 100으로 오르는 과정에서 여러 가지 소소한 성공을 맛보고, 100으로 오르고 나서도 그런 호재들은 계속되었다. 그렇게 연속적인 호재들만 다가오니, 마치 나는 내 역량이 한 300 정도로 받아들인 것이다. 그렇지만 실제 내 역량은 100~150 사이에 있는 범위의 값 정도였던 것이고, 현실은 내 역량을 300이 아닌, 100~150 사이의 무언가로 보고 있던 것이다. 그래서 현실은 나에게 내 역량 값은 300이 아닌, 100~150 사이에 있다고 일침을 날리려고 거듭 시도했을 것이다. 그리고 그것이 제대로 먹힌 시점이 2023년 1월 중순이다.

불행 중 다행이라고 해야 할까, 나는 다른 사람들에 비해 자기 이해력이 높다고 생각한다. 지능검사를 할 때마다 자기 이해

지능이 높다는 결과가 매번 나오니 그렇게 생각한다. 그나마 자기 이해력이 높기에 현실을 바로 알아차릴 수 있었고, 그렇게 다시 찾아온 암울한 시간을 비교적 빠르게 탈피할 수 있었던 것일 수도 있다. 하지만 이런 나도, 당시에는 너무 잘되기만 하니까 판단력이 흐려졌다. 내가 분명 역량이 높아진 것은 맞지만, 내가 체감하기로는 실제보다 더 큰 성장을 한 것처럼 보였다. 그때부터 무리하게 일을 벌이기 시작하지 않았나 싶다.

결론은, 우왕좌왕하다가, 다음 행보란답시고 기획한 모든 일들이 차례로 깨지고, 수포가 되었다. 심지어 이런 과정에서 여러 인연도 잃었다. 사람을 잃은 것이다. 사람을 잃는 것만큼 얼마나 무서운 것이 없는지, 그때 되어서 알게 되었다. 나에게 들어오는 기회, 소식, 정보들의 양이 정말 뚝 끊겼다 싶어질 정도로 줄어들었다. 그때 진짜 사람을 잃는 것이 어떻게 작용하는지, 그 쓴맛을 봐야만 했다.

물론 한편으로는, 이 시점에서도 기획한 일이 싹 다 풀렸다면, 난 더욱 부풀어 오른 자신감처럼 보이는 자만심에 사로잡혀서, 결국엔 더 많은 사람을 잃었을 것이다. 그나마 지금, 풍선이 더 커지기 전에 터진 것이 그나마 사람을 덜 잃은 것이 아닐까 싶은 생각이 든다. 예방접종을 한 것이다. 내 주위에 원래 100명이 있었다면, 이 중 15~20명 정도는 이 3개월간 잃었다고 생각한다. 다만, 이 15~20명을 그때 잃지 않았다면, 얼마 못 가

100명 모두 다 잃었을 수도 있다. 그리고 당시에는, 아직은 대학생 신분이니 사회적으로도 어느 정도 봐주는 면이 있어서, 그 20명 중 절반 이상은 미래에 다시 나에게 돌아올 여지가 있다고 본다. 그러나, 졸업 후에 갑자기 이런 사태가 터지면, 그 후에 생기는 참사의 규모나 후폭풍은 그 3개월에 비할 수도 없었을 것이다.

적절한 시점에 마치 누가 "아직 네 역량은 여기까지야"라는 것을 일깨워주었다. 물론 이것이 앞으로의 내 인생에서 마지막으로 터질 참사라고 생각하지 않는다. 분명히 내가 여기서 역량이 늘어갈 것이고, 그것이 정점을 찍었을 때 다시 폭주 기관차가 될 날이 올 것으로 생각한다. 단, 폭주 기관차처럼 달리기만 하는 것이 얼마나 위험한 것인지, 이 3개월을 통해 제대로 배웠다. 따라서 다음에 또 이렇게 된다면, 그때에는 최소한 나와 내 주변에 있는 사람들에게 피해를 줄일 조치를 취할 가능성이 열렸다고 생각한다. 폭주 기관차가 위험한지 모르는 사람은 갑작스러운 사고에 대비할 줄도 모를 것이다. 그러나 그 위험을 아는 사람은, 비정상적으로 빨리 달리는 열차는 사고가 날리라는 것을 쉽게 예측하고, 만일의 사태에 대비할 수 있는 역량이 있다.

결국 자만심을 컨트롤하는 것도 개인 역량이다. 그리고 현실은 역량과 정비례하는 것, 여기서도 똑같이 적용된다. 그때의 나는, 자만심을 다루는 역량의 부족으로 인해 현실이 잠시나마 나한테 냉혹해진 것이다. 그나마 다행인 것은, 그 3개월이 터진 후, 나는 곧 평정심을 찾았다. 그러니까 기간이 더 길어지지 않고, 3개월 수준에서 멈춘 것 같다. 그러나 그 3개월 동안 잃은 인연들과 잃지 않았을 때 왔었을 법한 기회 등에 미련을 가져서 지금까지도 집착했다면, 결국 조급함이 찾아옴에 따라 현실에게 다시 버림받았을 것이다.

그럼, 그 상황에서 어떻게 평정심을 되찾았는가? 3개월간 터진 사건은 많지만, 대표적인 두 사건을 예로 들면서, 다음 장에 그 이야기를 해보겠다.

5. 현실은 언제 친구가 되고, 언제 적이 되는가?

이번 장이 바로 이 페이즈의 모든 내용을 종합 및 요약해서 보여준다고 보면 된다.

앞선 내용들을 한 문장으로 정리해 보면, 대체로 현실은 여유로운 사람에게 본인의 역량과 비례해서 친밀도를 가져준다. 물론 극한의 확률로, 현실이 갑자기 좋아지는 때도 있다. 누군가는 로또 1등에 당첨되지 않는가? 심지어 미국 같은 경우 복권 1등 당첨될 경우, 당첨금이 억 단위가 넘어가는 때도 있다. 그렇게 진짜 극악의 확률로, 갑자기 이른바 "인생 역전"을 하는 경우도 물론 있다. 하지만, 뉴스에 종종 로또 1등 당첨 소식은 들어도, 그런 사람이 본인 주위에 몇 명이 있는가를 생각해 봐라. 대부분은, 내 주변에 복권 1등에 당첨되었다는 지인은 단 한 명도 없다. 그러니, 그런 극악의 예외적인 확률을 제외하고 보면, 현실을 친구로 두는 현상은, 감히 말해보지만, 여유로운 사람들의 전유물이라고 봐도 무방하다고 생각한다. 다만 여유로운 상황 속에서 본인의 역량 따라 현실이 친밀도를 보인다.

반대로, 본인 역량도 없으면서 조급한 사람들에게는 현실은 냉혹하기만 하다. 이런 사람들은 안 될 때마다 현실 탓만 하니, 자기를 욕하는 사람에게 그 누가 호의적으로 대해줄까. 현실은 예수님, 석가모니, 무함마드, 혹은 그 외 기타 역사 속에서 선한 인물로 인정받는, 이른바 '성인군자' 타입이 아니다. 성경 속에 예수님의 이야기를 직접적으로 다루는 복음서들에는 이런 구절들이 있다.

「네 이웃을 너 자신처럼 사랑해야 한다. (마르코 복음 12.31)」

「그러나 나는 너희에게 말한다. 너희는 원수를 사랑하여라. 그리고 너희를 박해하는 자들을 위하여 기도하여라. (마태오 복음 5.44)」

정말 감동적일 정도로 매우 좋은 구절들이다. 그러나, 현실이라는 것은 안타깝게도 이런 말들은 가볍게 무시한다. 심지어 절대 먼저 잘해주는 법도 없다. 내가 현실에게 먼저 잘해주든지, 아니면 최소한 잘해주려고 반복적으로 노력해야만 현실이 살가워지기 시작한다.

그렇지만 사람에게는 항상 좋은 일만 생길 수는 없는 법. 대부분은 자신에게 나쁜 일이 생김과 동시에 현실이 자신을 버렸다고 생각한다. 그러나, 나쁜 일이 생겼다는 것만으로는 현실이 차가워지지 않는다. 그 둘은 별개다. 오히려 나쁜 일이 생겨도 현실이 그렇게 나빠지지 않는 경우도 드물게 있다. 그 예시는 이 책 속의 내용 전반에 다 나와 있다. 바로 나에게 힘들었던 그 3개월, 그 3개월이 고작 3개월밖에 안 간 이유가 나쁜 일이 생겼지만, 현실이 차가워지지 않은 그 드문 사례 중 하나라고 생각한다. 그럼, 그 비결은 무엇인가? 바로, 나는 이내 평정심을 찾았기 때문이다.

그렇게 레픽스에서 더 이상 있을 수 없게 된 그 시점에, 사실 처음에는 나도 패닉이 왔다. 내 활동들의 두 개의 큰 축이자, 구심점이 레픽스와 이프랜드였는데, 그중 하나가 무너진 것이었다. 그 두 축에 크게 의지한 시스템으로 활동했던 나는, 이내 이프랜드도 뽑혀버릴 수도 있겠다고 생각했고, 그렇게 되면 내가 쌓아 올린 모든 것이 한순간에 무너질 수 있겠다는 생각에 정말 불안해했다.

그러던 중, 정말 말괄량이 같은, 어쩌면 미쳐버린 생각이 머릿속을 스쳐 지나갔다. 바로, 나는 자유인 신분이 된 것이라는 생각이다. 축구선수로 치면 FA 선수가 된 것이었다. 이전까지는 레픽스 멤버로 있었기에, 물론 레픽스에서 얻은 것도 많지만, 팀을 다소 의식하면서 활동해야만 했다. 그러다가 이프랜드를 접하면서, 새 방향성이 확립되고, 그로 인해 일부 레픽스 멤버들과 크고 작은 충돌들이 있었다.

하지만 더 이상 나는 그 팀을 의식할 필요가 없어졌고, 자유인 신분으로 이제는 하고 싶은 것을, 마음껏 다 할 수 있게 된 것이었다. 그래서 한편으로는 이렇게 생각했다. 자유인이 된 이상, 자유를 즐기면서, 이전과 다른 방식으로 활동하는 것이다. 이프랜드와 레픽스라는 두 축에만 의존하지 않고, 아예 내가 직접 여러 축을 만들어내면서 내 활동 모델을 안정화할 기회라고 생각했다. 자유인 신분이니 내 마음대로 이게 다 가능해졌다.

그렇게 첫 위기를 겪고 이내 평정심을 되찾았다. 그러나 다음 위기는 이렇게 단순하게 말괄량이 같은 생각으로 해결할 수는 없었던 위기였다. 바로, 야심 차게 준비한 단체전이 수포가 된 것이었다. 정말 우왕좌왕하다가 결국 이도 저도 못 하고, 같이 동참하려던 작가분들께도 실망만 남긴 채 그냥 엎어졌다. 하필 시점도 레픽스에서 나가진 직후여서, 정말 심적으로 힘든 순간에 또 하나가 벌어진 것이었다. 하지만 이마저도 평정심을 되찾았다. 애초에 그 기획은, 기획을 시작한 시점부터가 실수였다는 점을 인정하고 시작했다. 그때 내 역량이 전시회를 기획할 정도까지는 부족했다는 것도 뼈저리게 깨달았다. 이때는 조금 실질적으로 계산했다. 개인전은 깨졌고, 이것은 돌이킬 수 없었다. 그렇다고 이것 때문에 낙담만 할 것인가?

낙담에 빠져있을 때 버리는 시간과 에너지를 계산해 보니, 정말 아깝다는 것으로밖에 안 보였다. 다시 한번 말하지만, 나는 원래 마음이 매우 여린 사람이다. 속된 말로, 유리멘탈이다. 과거에는 이런 일이 생겼을 경우, 나는 다시 일어서기까지 한참 걸리곤 했다. 해외 생활을 마치고, 한국에 와서, 고등학교를 졸업하는 순간까지도 전교생한테 따돌림을 받던 암울한 시절을 보냈고, 그것 때문에 정말 몸과 마음이 피폐해진 느낌이 들었다. 이걸 뒤로하고 다시 일어설 수 있던 비결은, 내가 대학에 입학하자마자 만난 동기들, 그리고 입학하자마자 가입한 동아리에서, 정말 좋은 형들, 누나들이 도와주기 시작한 때부터 서서히 회복되기 시작했다는 것이다.

하지만 그런데도, 그 과거를 의식하지 않게 되기까지 2년이라는 세월이 걸렸다. 그마저도 빨랐다고 생각한다. 이제 그 과거를 의식하지 않게 되고 나서, 그렇게 버린 내 에너지를 계산하니, 만약 그때 낙담하지 않고 내 역량 강화에 다 썼다면, 지금보다 더 좋은 현재를 살고 있었을 것이다. 이 점을 보아하니, 여기서 개인전이 깨졌다고 낙담할 시간과 에너지가 아깝다고 생각했다. 그래서 이걸 최대한 잊고, 지금은 힘들지만, 어떻게든 일어서야겠다는 생각만 들었다.

물론, 이 시점에 레픽스에서 나가게 된 것까지 계산하면, 심적으로는 한 1톤짜리 모래주머니가 내 위를 누르고 있는 느낌이었다. 하지만, 이게 무겁다고 마냥 낙담만 하고 있을 수는 없었다. 대학 생활도 이제 4학년이 되면서 끝나가고 있었는데, 여기서 이러고 있을 시간도 없었다. 결국, 모든 가치를 계산해 본 결과, 이것은 무조건 하루빨리 잊고 넘어가야 한다는 판단을 내렸다.

연속으로 두 가지의 악재가 겹치니, 다시 평정심을 찾기가 절대 쉽지 않았다. 진짜 힘들었다. 하지만 최소한 억지로라도 괜찮은 척을 하니까 이내 평정심을 찾을 수 있었다. 그렇게 현실이 다시 나를 완전히 돌아서게 하는 것은 막았다.

어쩌면 저 3개월 동안 난 또 하나 중요한 것을 배웠다. 왜 넘어져도 빨리 일어나야 하는가? 현실이 나로부터 돌아서지 않게 해야 하기 때문이다. 현실과 적이 되어서 싸우면, 그 누구도 절대로 이길 수 없다. 그렇지만 대부분 사람은, 좋은 상황에서는 정말 여유롭고, 친절할 줄도 알며, 객관적이고 냉정하다. 냉정하다는 것을 보면 별로 좋지 못한 상황처럼 보이겠지만, 좋은 상황에서의 냉정함이 있어야 나락으로 떨어질 위기를 빠르게 극복할 수 있다. 즉, 냉정함이 있어야 절벽을 볼 수 있고, 절벽으로 떨어지기 전, 즉 나락으로 떨어지기 전에 쉬운 조치를 취할 수 있다.

그렇지만, 평정심을 잃은 채, 부정적인 상황 속에서의 사람들은, 극히 일부를 제외하고는 그 절박함에 사로잡혀서 급하기만 하다. 냉정함과 객관적인 태도는 이미 사라진 지 오래다. 그리고 왜 나는 이런 상황인 것에 자책, 원망, 분노가 머리를 지배한다. 마치 머리가 막힌 양. 그리고 이런 대부분 사람은 주변 환경, 혹은 주변 사람들을 탓한다. 부자들만 돈을 더 번다, 인생은 시궁창이다, 현실은 이상과 정반대다, 이런 말들을 하면서 일면식도 없는 사람들을 이유 없이 증오하고, 모욕한다. 정말, 더 악질인 부류는 주변에 좀 여유로운 지인이 있으면 이 지인마저 모욕의 대상이 된다는 것이다.

그렇지만 여기서 간과되는 점은, 이런 사람들은 일면식이 있든 없든, 다른 사람을 증오하고 모욕하기 전에, 현실부터 일단 적으로 둔 상태라는 것이다. 쟤는 돈 잘 버는데 왜 난 못 버느냐는 식의 문책성 질문을 현실이라는 존재한테 먼저 하는 것이다. 현실에게 문책을 가하는 것이 정말 현실에게 할 수 있는 최악의 대응이다. 현실은 물리적인 실체가 없으니, 주먹으로 때리는 것 같은 물리적인 폭력을 가할 수는 없다. 그러나 내가 힘들다고, 그 이유와 책임에 대해 문책을 해버리는 것이 현실에게는 사실상 심하게 얻어맞은 것과 같은 것이기 때문이다. 심지어 진짜 극악의 확률로, 현실이 책임지고 나에게 보상해야 할 정도로 나는 비운의 인생을 살았다 할지라도. 그런 비운의 인생은 어떤 것이 있을까? 대표적인 예를 하나 가져와 보겠다.

제1, 2차 세계대전 이전만 해도 사회 분위기상 여자는 대학에 가서 공부를 많이 하는 것이 금기시되었고, 여자들은 그냥 나중에 능력 있는 남자를 만나서 결혼하고, 그렇게 남편이 된 그 남자를 온전히 섬기는 것을 바람직하게 여기던 때가 있었다는 것은 모두가 알 것이다. 지금 기준에서는 이해할 수 없는, 여자라는 이유로 채워진 족쇄들을 그 당시의 현실은 여자들에게, 여자로 태어났다는 이유로 일단 채우고 시작했다. 그런 족쇄들은 지금 기준에선 상상도 못 할 정도로 무거웠다. 그 족쇄 때문에 여성들은 공부를 제대로 할 수 없었다.

그 당시에도 분명 열심히 공부하고 싶어 하거나, 아니면 정말 천재적인 머리를 가진 여성들도 많았을 것이다. 그러나 애석하게도, 당시에는 현실이 그런 것들은 가볍게 무시하고, 일단 족쇄부터 채우고 말았다. 그리고 절대로 풀어주지도 않았다. 그런 여성들의 대부분은 자신의 꿈을 실현하거나, 본인이 가진 재능을 한 번도 펼쳐보지 못한 채 그렇게 지금 기준으로 봤을 땐 매우 허무하게 생을 마감했다. 뭐, 이런 분들을 하느님께서 모두 다 천국으로 받아주셨다고 믿고 싶다. 그러나, 사후 세계에서 벌어진 일들은 인간이 알 길이 없으니, 인간 세상에서만 놓고 보면, 적어도 인간 세상에서는, 그런 분들이 그런 억울한 인생을 살았음에도, 현실은 보상 하나 해주지 않았다.

세월이 많이 흘러서, 이제는 여자들도 남자들과 똑같이 교육받는 세상이 왔음에도, 우리가 기억하는 유명 학자 중 여자들은 극히 소수이고, 그마저도 마리 퀴리(Marie Curie, 퀴리 부인)나 그레이스 호퍼(Grace Hopper, 컴퓨터를 활용한 사무적인 용도의 방대한 정보 처리를 위한 프로그래밍 언어를, 누구나 쉽게 익히고 사용할 수 있도록, COBOL이라는 획기적인 언어를 개발한 수학자. 최초로 소프트웨어 프로그래밍에서 '버그'라는 개념을 사용 및 도입하기 시작했다.) 처럼 거의 현대로 와야만 몇 명 보이는 수준이다. 당시 그런 여성들에게도 당대의 남성들과 기회를 동등하게 주었다면, 인류의 발전 역사는 더 진보되었을 가능성이 컸을 수 있음에도 불구하고, 심지어 긴 세월이 흐르고, 사회적 분위기가 완전히 뒤집혔음에도, 그 당시에 살았던 여성분들께 대하는 현실의 태도는 큰 변화가 없다고 생각한다.

기나긴 인류 역사를 봤을 때, 꿈과 재능을 시대적 분위기 때문에 꿈을 펼치지도 못한 채 그대로 생을 마감하게 된 여성들은, 정말 극히 일부를 제외하고는, 아직도 그들의 이름이라든지, 살았던 시대라든지, 심지어 그런 사람들이 몇 명 정도 있었는지조차 알 길이 없고, 미래에도 이런 상태가 지속될 확률이 높다고 생각한다. 그런 사람들에게는 짧으면 100년, 길면

600~700년, 혹은 그 이상이 지났음에도, 현실은 그들의 억울함을 풀어주기는커녕 그들에게 여전히 냉혹하고, 차별적이기만 할 뿐이다.

종합하자면, 현실은 안하무인으로 행동할 때는 진짜 안하무인이 되고, 웬만해선 절대로 사과하지 않는다. 자기가 엄연히 잘못했을지라도, 절대 미안해하지 않는다. 오히려 한술 더 떠서, 자기가 잘못해 놓고 그거에 대해서 내가 강하게 항의하면, 내 관점에서 느끼기에는 마치 적반하장식의 태도를 보이는 듯하면서 나랑 현실은 완전히 적으로 돌아서게 된다. 그렇다고 현실이 갑, 나는 을, 이렇게 생각하는 것도 위험하다. 제일 좋은 대처는, 현실과 페이스를 맞춰주면서, 현실이 움직이는 속도와 같은 페이스로, 옆에 같이 걸어가는 말동무로 삼는 것이다. 그래야만 현실이 나에게 살가워질 수 있다. 현실이 나한테 꾸준히 살갑게 대하도록 판을 설계하는 것, 그것이 성공 혹은 재도약 과정의 첫 번째 단계라는 점을 명심하길 바란다.

PHASE 8

아직 꺼지지 않은
희망의 불씨

1. 레짓브릭스의 바뀐 방향성

정말 다사다난했던 2023년 초가 지났다. 지금까지의 내용을 종합해 보면, 그리 썩 긍정적이진 못했던 기간이었다. 그렇지만, 이것은 언젠간 터졌을 법했던 일이었고, 그로 인해 나는 많은 것을 느끼고, 또배웠다. 주요 전쟁들, 획기적인 발명품의 출현, 그리고 최근에는 유례없는 규모의 질병 대유행인 코로나19 팬데믹까지. 역사 속에서도 큰 사건이 벌어지면, 세계 흐름이 바뀌었다. 그 격변의 3개월을 통해, 내 활동 방향성도 바뀌었다. 매우 크게. 이제부터 펼쳐질 일들에 대해서는, 어쩌면 레짓브릭스 V2.0라고 봐도 된다.

이전에는, 어떤 기회만 들어왔다면 무조건 참석했다. 기회라는 말만 보면 마치 중요하게 들리겠지만, 여기서 말하는 기회는 진짜 내 미래에 도움이 되는 기회만 말하는 것이 아닌, 그냥 단순하게 행사 참석 기회, 뭐 이런 거다. 영양가 없이 노력과 시간만 나가는. 마치 미국 서부 개척 시대에, 누군가가 아메리카 대륙 서부에서 금을 발견했다는 소식만 듣고, 아메리카 서부 지역에 갔다가 정작 금을 캐지 못하고, "바보의 금(Fool's Gold)"이라고 불린 황철석(Pyrite)밖에 못 캔 사람들처럼, 나도 좋다는 이야기만 듣고 여기저기 갔다가 정말 얻어온 거 하나 없이, 내 에너지만 낭비하게 된 일이 너무 많았다. 물론 그 세미나 내용은 누군가에겐 24K 금 이상의 것일 수도 있을 것이다. 그러나 나한테는, 대부분의 그런 행사들은, 끽해야 황철석 정도의 수준이었다.

황철석(Pyrite). 미국 서부 개척 시대 때 색깔이 금과 비슷해서 금으로 자주 오인되었다. 따라서 별명이 "바보의 금(Fool's Gold)"이 되었다.

사진 출처: www.pixabay.com
원본 촬영자: Florian Pircher

이런 방식의 라이프스타일은 너무 많은 문제점이 있었다. 단순히 소비한 시간과 노력 값만 빼고 봐도, 항상 스케줄이 너무 유동적이다 보니 모든 상황에서 뭐가 나올지 몰라서 항상 스탠바이 하듯 대기해야 했고, 그래서 가족 행사나 친구 모임 등은 거의 참석할 수 없었다. 자연스레 내 주변의 소중한 사람들과는 멀어지기 시작했다.

그것보다도, 더욱 원초적인 문제는, 너무 힘들었다는 것이다. 육체적으로 정말 힘들었다. 힘든 것 그 자체는 큰 문제가 안 된다. 힘들게 금을 캐는 데에 성공하면 그건 값진 희생이지만, 겨우 황철석을 캐기 위해 진짜 금을 캐본 사람들보다도 미친 듯이 노력한다, 이것은 너무 큰 문제가 있었다. 스케줄도 고정된 게 없으니, 시간 및 일정을 관리하는 데에만 사용된 에너지도 어마어마하게 들었다.

그나마 2022년에는 휴학 중이었으니까, 시간이라도 많았으니 다행이지, 2023년 3월부터는 다시 복학하면서 학업에도 열중해야 하는데, 그렇게 되면 최소한 내가 남아나지 않을 정도로 건강에 큰 문제가 생기거나, 아니면 물리학적으로 그 라이프스타일을 유지할 수가 없었다. 내가 다닌 대학교는 캠퍼스가 2개인, 이른바 이원화 캠퍼스였다. 서울에는 문과 쪽 학과를 모은 인문 캠퍼스가 있고, 이공계와 예체능 학과를 모은 자연 캠퍼스는 용인에 따로 있다.

나는 컴퓨터공학과라는 전공 특성상, 용인에 있는 자연 캠퍼스에서 다니고 있었고, 애석하게도 이런 이벤트들은 거의 다 서울에서 열린다. 대중교통으로 아무리 빨리 가도 편도 1시간 반에서 2시간 이상 소요되는 거리이다. 애초에 물리적인 이동 거리부터 부담이 너무 컸다.

이렇게 해놓고 만약 금을 빨리 찾았다면 그래도 나았을 것이다. 그러나 나는 그 노력의 대가란답시고 얻은 결과로, 황철석만 많이 수집한 것이다. 행사에서 명함 되게 많이 돌렸다. 그러나 돌아온 연락은 단 한 건. 그마저도 지속되거나 뭐 어떻게 되지 못했다.

그리고 이 생활의 끝에는 그 격변의 3개월이 있었고, 모든 것이 망가진 형태로 복학하니, 일단 고갈된 에너지로 뭘 할 수 있었을까. 아이러니하게도, 대학 생활 중 제일 힘들었던 때는 마지막 4학년 때다. 시간표는 제일 널널했음에도, 제일 힘든 건 4학년 때였다. 4학년 1학기엔 학교를 주 3회만 가고, 2학기 때는 주 2회만 가는데도, 제일 힘들었다. 1, 2, 3학년 때는 남들 다 하는 금공강도 못 하고 그냥 주 5일 풀로만 다니다가, 처음으로 공강이라는 것이 생긴 4학년, 하지만 아이러니하게도 그때가 제일 힘들었다. 내 활동들과 학업이 너무 강하게 충돌했기 때문이다. 4학년 생활 1년이 어쩌면 격변의 3개월의 연장선이 되었다. 실질적으로, 2023년은 내가 육체적으로 제일 힘들고 지친 해가

된 것이다.

3개월만 가지고 정신을 못 차리다가, 결국 그보다 강도는 약했지만, 아무튼 지침의 시간이 9개월이나 지속되었다. 이쯤 되니 나도 생각이 바뀌기 시작했다. 이대로는 안 되겠다. 좀 더 타깃형으로, 효율적인 움직임으로 인생을 살아야겠다는 생각이 들었다. 2019년부터 크리에이터 생활을 하면서, 여러 일이 있었지만, 진짜 냉정하게 보면, 금을 캔 순간은 현재 딱 5번뿐이다. 그 5개의 순간을 건지기 위해 뛴 행사나 이벤트 수를 계산해 보니, 60개는 되는 것 같다. 그마저도 본격 시작은 2021년인 걸 고려하면, 2021년 말부터 2023년 말, 2년 동안 거의 60가지 이벤트에 참석했고, 그러면 아무리 낮게 잡아도 12번의 도전당 한 번꼴로 금을 캔 건데, 그럼, 나머지 11번은 황철석을 캐거나, 심할 경우 황철석의 가치도 못 되는, 그냥 매우 흔한 돌덩이만 만지고 온 것이다. 그리고 5개의 금 중에서도, 두 개는 진짜 유의미한 가치의 금이다. 그러나 나머지 셋은 끽해야 사금 정도 되는 규모의 금이다.

그래서 바뀐 방향성은 이것의 핵심이자 결론은, 이젠 진짜로 금을 캐보자. 단, 금을 캐기 위해서 하는 곡괭이질의 횟수는 확 떨어트리자, 라는 결론을 내렸다. 이 와중에도 긍정적으로 생각해 보면, 나는 황철석을 캐는 동안, 유일하게 얻은 게 있긴 하다. 바로, 황철석을 캐면서 만난 여러 사람의 이야기들이다.

이 와중에도 또 내가 운은 좋다고 생각하는 대목이 있다.
나는 황철석만 캐고는 있었지만, 그러면서 만난 인연들의 90%
이상은 나에게 도움이 되는 조언도 많이 해주고, 응원도 해주고,
심지어 금이 많이 나올 확률이 있는 스팟이 어디인지도
알려주었다.

다만 내가 받은 금이 많다는 그 스팟은, 거기까지 가는 길이
매우 험하다는 문제가 있다. 그렇지만, 타깃형으로 움직이면서,
효율적인 보상을 이제는 받으려면, 그 스팟으로 이동을 당연히
해야 하지 않겠는가! 따라서 현재 해야 할 일은, 총 두 가지라고
생각한다. 그 스팟으로 가는 지도도 내 손에 있다. 그러면, 나는
그 스팟까지 갈 길이나 계단 등을 만들어내는 것이다. 또 하나는,
그래도 금을 캐본 그 다섯 번의 경우를 보면서, 그 케이스들이
가진, 하나의 특징적인 패턴을 보는 것이다. 마치 AI가
학습하듯이 말이다. 아쉬운 결론부터 말하자면, 그 다섯 번의
금을 가졌을 때, 그 순간마다 가진 공통적인 특징은 아직도
오리무중이다. 그래도, 일단 내가 금을 뽑은 그 다섯 번의 순간을
보면서, 내가 본, 내가 파악한 그때의 상황을 다음 장에서
적어보려고 한다. 어디까지나 이 책 〈어쩌다, 크리에이터〉
시리즈는 나의 크리에이터로서의 초기 단계를 기록하고,
아카이빙하려는 목적으로 쓴 책이다. 그럼, 60+α 번의 시도 중
가장 성공적이었던 다섯 번의 순간으로 들어가 보겠다.

2. 다섯 번의 금을 캐다.

가장 성공적이었다고 스스로 판단하는 다섯 순간은 다음과 같다. 각 순간을 각 순간이 시작된 시점 기준으로 오름차순으로 정리해 보겠다.

1. 레고 코리아와의 협업, 2019년 말
2. 이프렌즈 활동, 2021년 말
3. 리드미컬 NFT클럽 가입, 2022년 초
4. 한국 AI 작가협회 가입, 2023년 중반
5. MeendArt 프로젝트 가입, 2023년 하반기

위 다섯 건 외에도 사실 소소하게 성공적으로 이뤘던 것은 많다. 코리아 브릭 파티, 브릭 코리아 컨벤션 등등 있지만, 나한테

직접적으로 유의미한 수익을 낸 것만 추리고 추려서 엄격하게
선임한 것이다. 수익 외적인 것까지 고려하면 저 리스트 자체가
송두리째 바뀌겠지만, 아무래도 현실은 현실이다 보니, 일단
유의미한 금전적 수익을 직접적으로 주거나 주었던 것들로만
뽑았다.

이 다섯 번의 금, 인생의 경험이 쌓이면서 금의 순도와 양이
늘어난 것을 체감하고 있다. 처음에 캔 금, 레고 코리아와의
협업은 금을 캤지만, 원석을 캔 느낌이고, 나중으로 갈수록 24K
금에 가까워지고 있다는 것, 그것이 이 스토리의 관전 포인트라고
할 수 있다.

시간을 돌려, 크리에이터 세계로 처음 데려다준 그 이벤트,
레고 코리아와의 협업한 그때로 가보자. 당시에 나는 사진 실력도
정교하지 못했다. 지금 보면 갈아엎고 싶은 정도의 퀄리티인데,
그럼에도 왜 뽑혔을까? 이유는 간단하다. 시기가 맞아떨어지면서,
레고 사진 크리에이터로서의 자리를 선점했기 때문이다. 2019년
6월에 사진 찍기 시작하고, 거의 동시에 레픽스에 가입하고,
활동을 했다. 레고 사진팀이라는 것이 없던 상황에 레픽스가
생김으로서 레고 크리에이터 중 사진계는 빅뱅급 폭발을 하게
되었다. 그리고 그 중심에는 나를 비롯한 몇몇 레픽스 1기
멤버들이 있었다.

그리고 당시에는, 마블 영화 중 역대급으로 최고의 기대작이자 화제작인 '어벤져스 엔드게임' 개봉을 앞두고, 정말 장난감 회사라면 너나 할 거 없이 관련 제품을 우후죽순으로 내고 있었다. 레고도 당연히 예외는 아니었다. 그리고 레고 코리아가 색다른 홍보를 위해 사진가들을 찾고 있던 모양이었다. 그 상황 속 레픽스의 탄생은 추정컨대 레고 코리아에 엄청난 소스가 되었을 것이다. 실제로, 그 당시 레픽스 소속 멤버 중 만 18세가 넘은 사진가들에게 연락이 거의 다 왔다. 나도 그렇게 왔다.

정말 인생 첫 외주, 그것도 레고 코리아에서라니! 성공한 덕후, 일명 '성덕'이 된 기분이 들어서, 신나서 심리적으로 크게 들떠있었다. 하지만, 그 과하게 들뜬 기분이 오히려 독이 되었다. 일단 금전적인 부분이나 페이는 큰 문제 없이 진행했다. 당시에는 대학생이었으므로 가격을 그렇게 높게는 책정하진 않았다. 물론, 대학생에게는 큰돈이긴 했다. 내 2주 치 용돈을 한 번에 벌었으니까. 하지만 진짜 들뜬 마음에, 성숙하게 대응하지 못했다. 결론적으로, 레고 코리아와의 협업은 그렇게 일회성으로만 끝났다. 엎친 데 덮친 격으로, 협업 과정에서 내가 얼마나 미숙한 사람인가만 알리고 만 격이 되었다.

인생 경험, 사회생활 경험이 거의 없어서 만들어낸 실수지만, 그래서 어쩌면 일회성으로 끝나게 될 것은 당연한 결과였지만,

한편으로는 레고 코리아와의 인연을 좀 더 이어갔으면… 싶은 생각도 사실은 조금 든다. 그래도 그것은 향후 활동에 대한 큰 기폭제가 되었으므로 첫 시작을 크게 밟았다고 할 수 있다.

여기에, 그전까지는 가족들이 레고 관련 활동하는 것을 정말 좋게 보지 않았는데, 그 인식이 단박에 반전되었으니, 그것이 어쩌면 제일 중요했을 수도 있다. 굳게 닫힌 문의 열쇠를 쥐여준 격이니까. 그래도 뭔가 아쉬움은 여전히 있다. 만약 지금 레고 코리아가 다시 연락을 준다면, 분명 2019년 때보다는 더욱 능숙하고, 차분하고, 매끄럽게 진행할 수 있을 텐데, 그 점은 생각할수록 여전히 아쉽다.

그래도 좋은 경험이었다. 그러나 거의 2년간 이렇다 할 다음 단계의 성과를 못 냈었다. 그렇게 크리에이터로서 쭈뼛쭈뼛하게 있다가, 다시 한번 일어난 기적이 있다. 바로, 2021년 말, 이프렌즈 활동을 하게 되면서다. SKT에서 운영하는 메타버스 플랫폼 '이프랜드'의 인플루언서 지원을 했다가 합격 메일을 받은 것이다. 그렇게 이프랜드 3기 인플루언서가 되었다. 그 인플루언서 프로그램은 공식 명칭으론 '이프렌즈'라고 한다. 이프렌즈 활동은 전작에서 자세히 쓰여있으니 여기서는 깊게 말하진 않겠다. 단, 여기서는 그럼 이프렌즈 활동을 통해 뭘 얻었는가에 대해 포커스를 맞추겠다.

일단, 모든 이프렌즈들은 각각 사회 여러 분야에서 살아가고 있는 사람들이다. 이렇게 모두가 다 다양한 일을 하고, 다양한 능력을 지닌 사람들이 모인 공간, 그것도 모두가 서로서로 다 실시간으로 진지하게 소통할 수 있는 곳, 과연 이프랜드 말곤 더 있을까 싶다. 물론 이프랜드만 메타버스는 아니니, 다른 메타버스들도 뭐 어느 정도 이럴 수 있을 것이다.

다만, 내가 생각하는 제페토, 로블록스, 게더타운 등 타 메타버스들과 이프랜드의 큰 차이는, 바로 이프랜드는 소통 중심 메타버스라는 것이다. 제페토나 그런 것들은 약간 다 같이 놀자는 분위기가 강한 것 같다. 메타버스에 대해서 아무것도 모른 상태로, 제페토나 게더타운 등을 언뜻 본다면, 어쩌면 그런 것들은 조금 색다른 RPG 게임 정도로 보일 것 같다. 알고 봐도, 앱 내 유저들의 분위기는 아무래도 놀자는 분위기가 지배적이라고 생각한다. 이것은 전적으로 내가 느낀 바이니, 이 관점이 무조건 맞다고 말하긴 무리가 있다고 말하고 싶다. 분명 누군가는 제페토나 게더타운, 로블록스의 시스템을 더욱 좋아할 것으로 생각하며, 나는 그 사람들의 의견이랑 생각도 존중한다.

반면, 내가 느낀 이프랜드는 각자의 장점을 살린 컨텐츠가 중심이 되어서 인터랙티브한 소통을 한다는 느낌이 강했다. 뭔가, 이프랜드는 화면 뒤에 있을, 익명의 어떤 사람들과 실제로 진지한 소통을 하는 느낌이 강하게 들었다. 그러니까 이프렌즈 분들끼리

오프라인으로 모인다는 소식이 들리면 마다하지 않고 참석했다.

　사실 나는 가상 플랫폼에서 만난 사람들과 실제로, 오프라인에서 만나고, 일명 정모하는 것을 그렇게 썩 좋아하지 않는다. 심지어 요즘 당근마켓이나 카카오톡 오픈채팅방에서 젊은 사람들, 내 또래들 사이에서 유행하는, 이른바 동네 친구 모임방 이런 곳도, 사실 나는 별로 가고 싶지 않다.

　하지만, 이프랜드는 뭔가 달랐다. 진정으로 이 사람들은 만나봐서 대화를 더 진솔하게 나눠봐도 될 것 같았다. 될 것 같았다 정도가 아니라, 진짜 만나서 대화해보고 싶었고, 도움도 될 것이라는 확신도 섰다. 그리고 그 확신은 곧 현실이 되었다. 이프랜드 사람들과 만나면서 진짜 그다음으로 파생된 여러 세계, 여러 세상, 여러 경험. 이프랜드는 진짜 단순히 금 몇 g을 캔 수준이 아니라, 아예 금광 하나를 통째로 가진 느낌이다. 이 책도, 결국 전작 〈어쩌다, 크리에이터〉를 통해서 나왔고, 그 전작도 이프랜드에서 만난, "올레비엔" 이라는 닉네임으로 활동하시는 분을 통해서 하지 않았는가!

　그 외에도, 내 활동의 무한한 지지를 해주신 "호몽"님, 컨텐츠 크리에이터 생활을 하는데 매우 큰, 그리고 앞으로의 새 도전에도 큰 도움을 주신 "나야호"님과 "마이크잡은상구"님, 내면의 생각을 훨씬 더 성장시켜 주신 "영업의신조이"님, 과거의 아픔을 조금이나마 털어놓게 해주신 "좋은 하루"님, 활동 초반에 미숙한 한국어 실력을 키우는 데 정말 큰 도움을 주신 "희윤쌤"님과 "달걀마녀"님, 종종 정말 짓궂다 싶어질 정도로 나를 놀리지만, 그래도 필요할 때 나를 많이 챙겨준 "민루찌"님, 이프렌즈 중 최고의 인지도를 가졌으면서, 또 전반적인 작가 활동에 큰 도움을 주시고 있는 "핀님", NFT 작가로서 각종 오프라인 NFT 행사에서도 뵈면서, NFT 쪽 도움이 필요할 때마다 도와주신 "스튜"님, 긴말이 필요 없는, 이프랜드 내에서 만난 최고의 소울메이트이자 이프렌즈 초기 시절에 이프랜드에 안전하게, 안정적으로 정착할 수 있게 도와주신 "다솜"님, 그 외에도 교류한 전·현직 이프렌즈 분들 모두 다 귀한 인연이다.

무엇보다도 지금 이 이프렌즈 활동이 주는 의미는, 이것은 "현재진행형"이라는 것이다, 이제 금을 캔 5번의 경우 중 2번을 공개했다. 재미있는 점은 여기서 남은 3번의 금은, 이프렌즈 활동 아니었다면 캐지 못했을 금이었다. 이쯤 되니 2021년 말 이후의 유의미한 것들은 모두 이프렌즈 활동 경험에 뿌리를 두고 있다고 봐도, 결코 과언이 아닐 것이다.

그럼, 세 번째 금은 과연 어떤 것인가? 앞서 이프랜드라는 금광을 얻었으니, 이 금광 속에는 어떤 금이 있을까? NFT 계에 발을 들이게 한 것이 남은 세 가지의 사례이다. NFT라는 것을 알게 되고, 가장 먼저 들어간 곳이 리드미컬 NFT 클럽이다.

리드미컬 NFT 클럽 이야기도 전작에 자세히 들어가 있으니.
여기서는 리드미컬 NFT 클럽에 가입하면서 얻은 것을 중점으로
얘기해 보겠다.

결론부터 말하자면, 다시 한번 사람을 얻은 것이다. 원래
하고 있던 레고 포토아트를 소재로 NFT를 하고 있는데, 그것은
매우 희귀한 소재이다. 오죽하면 나는 사진으로 작품을 만드는데,
그때 만난 작가분들은 내 작품들이 사진이 아닌, 3D 모델링
작품으로 다 착각했다. 그러나 엄연히, 사진이었고, 제작 과정을
선보인 이후에나 그것을 모두가 알게 되었다.

그리고 리드미컬 NFT 클럽에 들어가서야, 내 작품의 수준을
알게 된 것도 있다. 당시만 해도 레고 사진계에서 꽤 많은 교류를
했는데, 솔직히 그 안에서는 나보다 실력이 훨씬 출중한 사람들이
널리고 널렸다. 그래서 내 사진은 뭔가 항상 2% 모자른 것으로
보였고, 거기서 맨날 받은 피드백도 그러한 맥락이었다. 하지만
리드미컬 NFT 클럽에 들어가고 나니, 보이는 반응이 180도
바뀌면서, 이 정도도 충분히 잘하고 있다는 확신이 들었다.
나보다 실력이 더 좋은 사람이 있을 수는 있어도, 나 정도만 해도
어디 가서 사진 실력으로 내밀 수 있겠다는 생각이 들어서, 많이
당당해졌다. 그리고 이것을 증명하듯, 리드미컬 NFT 클럽 가입
후 반년 만에 내가 발행한 NFT를 최초로 팔아본 경험도 생겼다.

이렇게 리드미컬 NFT 클럽에서, NFT 작가분들에게 톡톡히 눈도장을 찍었다. 그러나 애석하게도, 2022년이 되면서 여러 가지 사건이 터지기 시작했다. 전 세계에 충격을 준 사건인 FTX 파산 사태부터 루나 코인 사건까지, 그리고 기승을 부렸던 각종 만성적인 스캠(사기) 이슈로 전 세계적인 크립토 겨울이 왔다. 쉽게 말해, NFT 시장이 갑자기 확 꺼지고, 전 세계적으로 얼어붙은 것이다. 지금 위에 나온 말들을 이해 못 하는 독자들을 위해, 간단하지만 쉽게 설명을 해보겠다.

FTX 파산 사태, 우선 FTX라고 하면 전 세계적으로 가장 많은 가상화폐 거래가 진행되던 가상화폐 거래 플랫폼 중 하나다. 그런데 그게 한순간에 충격적으로 무너진 것이다. 가상화폐 거래 플랫폼이란, 우선 대한민국 내에서 가상화폐, 일명 코인 거래를 해본 사람이면, "업비트"나 "빗썸"은 꼭 거쳤을 것이다. 왜냐하면, 현시점에서의 대한민국 법률상, 가상화폐 거래를 하려면 국가에서 공인된 가상화폐 거래 플랫폼을 반드시 거쳐야 하고, 그중 가장 유명한 곳이 바로 위에 명시한 두 군데이다. 그러나, 그 두 군데의 단점은 수수료가 너무 높다는 것이다. 심지어, 나는 이건 다소 치사하다고 생각하는데, 가상화폐별로 수수료도 다 다르다. 정말 치사하게도 비트코인(BTC)이나 이더리움(ETH) 등 유명한 가상화폐일수록 수수료로 뜯어가는 비율도 높다. 그래서 수수료를 낮출 수 있던 돌파구가 FTX였다.

미주나 유럽 등에서는 본인의 신용카드 혹은 체크카드를 바로 FTX에 연결해서 바로 결제할 수 있지만, 대한민국에서는 그것이 법적으로 허용되지 않는다. 실제 경험담인데, 대한민국 은행에서 발급된 카드로 FTX나 바이낸스 같은 가상화폐 거래소에다가 가상화폐 구매를 위해 카드 정보를 등록이라도 하려고 하면, 아예 그 카드를 발급한 은행의 서버 시스템에서 등록을 거절한다. 할 수 없이, 울며 겨자 먹기로라도, 일단은 "업비트"나 "빗썸"을 한 번은 거치긴 해야 한다.

그럼, 수수료를 어떻게 줄이느냐? 앞서 말했듯이, 포인트는 바로 유명한 가상화폐일수록, 수수료가 높다는 것이다. 바꿔 말하면, 덜 유명한 가상화폐일수록 수수료가 덜하다는 것이다. 그래서 돌파구로 쓸 방법은, 우선 상대적으로 덜 유명한 가상화폐를 일단 위에 명시된 국내 거래소 두 곳에서 구매하고, 그것을 내 FTX 계정으로 보낸다. 그리고 FTX에서 그 덜 유명한 가상화폐를 비트코인이나 이더리움, 폴리곤 등으로 "환전"을 하는 것이다. 국내에선 이렇게밖에 활용을 못 하지만, 생각해 봐라. 미주나 유럽 등의 곳에서는 바로 내 카드를 통해 손쉽게 가상화폐를 구할 수 있다.

즉, 전 세계인들이 FTX라는 곳을 통해 가상화폐를 거래하고 있었는데, 한순간에 그 FTX가 파산해 버린 것이다. 심지어 어떤 사람들은, 본인의 FTX 계정에다가 가상화폐를 두고 있었다.

그리고 그 액수를 한순간에 잃어버린 것이다. 이런 사람들은 심할 경우, 실제 화폐 가치로 환산했을 때 억 단위의, 혹은 그 이상의 돈을 잃은 한순간에 잃은 사람도 있다. 나도 FTX 파산 전, 내 FTX 계정에다가 놓아둔 가상화폐가 있다. 불행 중 다행히도, 내 FTX 계정에 넣어둔 금액을 당시 시세를 고려해서 실제 화폐 가치로 환산해 보니 1달러가 조금 넘었다. 많아야 2천 원 정도 잃은 것이니, 더 크게 잃지 않았다는 점에 감사해야 했다. FTX 파산 사태의 원인이나 더 자세한 내막은 인터넷에다 쳐보길 바란다. 이와 관련된 내용은 너무 방대해서 여기서 다룰 순 없으니, 양해를 구하고 싶다. 다만 FTX 파산 사태 관련해서 진행된 수사 과정에서, 수사를 하면 할수록 이 FTX라는 기업이, 정말 비상식적일 정도로 부실한 구조였다는 것이 밝혀졌고, 그렇게 FTX의 대표는 징역 100년 이상을 구형받았다.

거기에 국내판 FTX, 가상화폐로 진행된 다단계 사기극으로 봐도 될 정도로 터진 루나 코인 사태, 거기에 각종 스캠 이슈까지 터지면서, 타 국가에 비해 대한민국에서는 유독 NFT 시장이 더 강하게 꺼졌고, 오랫동안 얼어붙어 있었다. 전 세계적으로 이제는 그 기나긴 크립토 겨울의 해빙기를 맞았고, 다시 활성화된 예도 있었지만, 대한민국은 그로부터 한참 후에야 해빙기가 오나? 싶은 정도의 체감이었다. 기나긴 침체기, 일명 크립토 겨울로 인하여 NFT를 비롯한 WEB 3.0 세계가 다 침체기였다, 자연스레 내 NFT 활동은 물론이고, 메타버스 시장도 영향을 받아서, 이프렌즈

활동도 분위기가 많이 다운되었다. 그 덕에 이프랜드라는 금광을
얻고, 리드미컬 NFT 클럽이라는 금을 캔 이후, 거의 1년간
추가적인 성과가 없었다. 그래도 힘든 세월 속에서도, 묵묵히
나아갔다. 다행히도, 이젠 대한민국에서도 크립토 겨울의
해빙기가 오기 시작한 것 같다. 그와 맞물려서, 나머지 2번의
금을 추가로 캘 수 있었다.

　　마지막으로 금을 캐본 지 1년이 지난 후, 또다시 한번 금을
캤다. 4번째로 금을 캐본 것이었다. 그리고 이 4번째 금을 캘
무렵과 거의 동시에 5번째 금도 캤다. 거의 동시에 일어난 이 두
건은 바로 "한국 AI 작가협회"와 "MeendArt 프로젝트"에 가입한
것이다. 이 이야기는 다음 장에 이어서 얘기해 보겠다.

　　하나만 미리 말해주자면, 그 두 곳에 가입하고, 회원으로
활동하면서, 내 인지도, 활동반경, 인맥 자산 등 모든 영역을
종합했을 때, 가히 크리에이터 생활, 아직 초기라고 할 수밖에
없겠지만, 그럼에도 전례 없는 황금기를 맞게 되었다. 어느
정도냐면, 전작 〈어쩌다, 크리에이터〉를 쓸 무렵의 "잘 나가던"
상황이 이제는 도리어 우스워졌을 정도가 되었다. 한국 AI
작가협회와 MeendArt 프로젝트 소속으로서 활동하다 보니, 다시
한번 내적으로도 크게 성장했고, 외적인 역량도 늘게 되었다.
바로 그 이야기를, 다음 장에서 얘기해 보겠다.

3. 본격 재데뷔; 미래형 아트 포토그래퍼가 되다

　　단순 레고 아티스트에서 미래형 아트 포토그래퍼가 되었다. 무엇이 달라졌길래 "재데뷔"라는 말까지 썼을까? 일단, 앞서 얘기한 다섯 번의 금 중 마지막 두 가지의 경우들과 이것이 매우 밀접하다. 어느 순간부터, 내 컨텐츠에 쓸 배경을 일일이 찾아다니는 데에 매우 큰 피로감을 느꼈다. 실제 촬영 시간보다 배경 찾는 데에 더 오랜 시간이 걸렸다. 심지어 배경만 찾았는데, 이미 에너지를 다 써서 진짜 촬영은 시작도 하기 전에 지친 경우도 허다했다. 그러다가 우연히 접한 AI 생성 이미지를 접했다. 이것은 내가 글만 잘 써주면 내가 원하는 배경을, 그것도 매우 빠른 시간에 만들어주고 있었다. 2시간 동안 배경 찾느라 돌아다닐 것을 2~3분 만에 뚝딱 만들어주었다.

이것은 너무 획기적이다 못해서 파격적이었다. 그래서 2023년 2월부로 제작한 내 사진들은 야외에서 촬영한 게 아닌 이상, 작품에 쓸 배경들은 AI로만 뽑고 있다.

AI를 활용한 내 대표 작품들.

사실, AI 생성 이미지가 말이 많은 건 사실이다. 나 역시도 AI 생성 이미지의 존재는 2022년 초여름부터 알고는 있었지만, AI 생성 이미지를 원래는 극도로 거부했었다. AI 생성 이미지는 보고 볼 때마다 속된 말로 하면 날로 먹는 것, 그 이상으로도 이하로도 보이지 않았다. 속으로, 무슨 수가 있더라도, 죽어도 AI

생성 이미지는 쓰지 않으리라고 굳은 다짐까지 했었을 정도였다.

하지만 심경의 변화가 일어난 때가 바로 2023년 2월이다. 이 책 앞부분에서 언급한 내용을 다시 생각해 보면, 그 시점은 바로 마음속에서 소용돌이가 강하게 치던, 격변의 3개월 기간이었다. 그것이 직접적으로 AI에 대한 시선을 저렇게 완전히 바꿔준 것 같진 않지만, 확실한 것은, 그때 심리적으로 많이 연약해져 있었다. 그 영향도 없잖아 있는 것도 같다. 그렇게 심리적으로 힘들어하던 와중에, 머릿속엔 문득 이런 생각이 들었다. 인류 역사에서, 산업 혁명이 시작된 18세기를 보자. 당시 기계라는 것이 최초로 등장했다. 그러나, 그 당시에는 가난한 도시 노동자들이 저 기계라는 처음 본 이상하고 생소한 물건이 본인들의 일자리를 뺏는다는 명분으로, 공장 내의 기계들을 마구 부수고 다녔었다. 하지만 현재 상황을 생각해 보면, 기계가 없는 공간, 기계가 없는 환경을 보기 드물어졌다. 18세기 당시의 노동자들과 비슷한 위치에 있는 현대의 직장인, 회사원들의 사무실만 봐도, 프린터기, 복사기, 심지어 컴퓨터까지. 모두 다 결국에는 기계들 아닌가!

이런 맥락으로, 어쩌면 지금 사람들이 AI 생성 이미지를 보고 있는 시각도, 18세기에 당시 노동자들이 이전에는 듣지도 보지도 못한, 역사상 처음 등장한 기계라는 것을 보듯이 보는 것이 아닐까 싶다. 즉, AI 생성 이미지를 마냥 나쁘게만 볼 게 아니라, 내 또 하나의 도구로 쓰는 것, 그렇게 쓰는 것이 오히려 현명하겠다는 생각이 들어서 그 후로는 AI 생성 이미지를 배경으로 적극적으로 활용하고 있다. 단, 여기서 분명히 말하고 싶은 점은, 나는 AI 생성 이미지를 활용은 하되, AI 이미지 자체를 그대로 쓰지 않는다. 무조건 AI 생성 이미지 위에 내 고유의 창의적인 무언가를 꼭 입힌다. 어디까지나 AI 생성 툴들은 내 도구이지, 그것들 자체가 내 작품이 될 순 없다고 믿는다.

그렇게 AI를 포용하게 되고, 내가 1년 만에 다시 캔 금인 "한국 AI 작가협회" 가입 사건과 "MeendArt 프로젝트" 가입 이야기를 동시에 다뤄보겠다.

일단 한국 AI 작가협회랑 MeendArt를 가입하게 된 계기는 같은 현장에서 동시에 일어났다. 어쩌다 보니 대전에 있는 한 NFT 카페에 내 작품을 전시할 기회가 생겼다. 그렇게 나는 모든 스케줄을 팽개치고, 수서에서 대전으로 가는 SRT표를 예매했다. 거기에 현재 MeendArt 프로젝트 대표로 있는 "만쥬" 작가님을 뵀고, 이프렌즈 활동하면서, 이프랜드 내에서는 종종 대화를 나눠본 "스튜"님을 처음으로 실제로 대면한 현장이었다. 그리고 나를 예전에 만나봤다고는 하셨지만 정작 나는 그분을 만나 봤었는지…. 기억이 가물가물했던 "마달" 작가님도 뵀다. 이 세 분을 잘 기억해 두길 바란다.

대전의 한 NFT 카페형 갤러리에 전시된 내 작품의 모습.

아무튼 그렇게 대전에서 내 작품이 걸린 것을 봤고, 그 세 분을 포함, 현장에 있던 여러 NFT 작가분과 나름 진솔한 대화를 했다. 대화가 이어지던 중, 스튜님이 나한테 갑자기 무언가를 제안하셨다. 청담에 있는 한 갤러리에서 한국 AI 작가협회가 전시할 것인데, 한 번 참여해 볼 의사가 있냐고 물었다. 그것도 한국 AI 작가협회 단독이 아닌, 세계 최초로 한국, 중국, 일본 작가분들을 모아서 3개국 전시회로 한다는 것이었다. 전시 이름도 너무 끌렸다. "한·중·일 AI 르네상스 전시회". 이름도 매우 있어 보였다.

너무 좋은 기회 같았으나, 처음에는 머뭇거렸다. 정말 서울에서도 부촌 중의 부촌으로 볼 수 있는 청담동에 있는 하이엔드 갤러리에서, 무려 3개국이 뭉쳐서 전시회를 한다니!

너무 끌리긴 했지만, 참가비가 20만 원이라는 점, 그것이 좀
걸림돌이 되었다. 아직 학생 신분이라 아무래도 금전적인 여유가
없는데, 이게 100% 팔릴 가능성도 없는 곳에 20만 원을 섣불리
투자하기가 너무 큰 부담이 되었다. 심지어 팔린다 해도, 협회,
갤러리, 딜러에게 나눠줄 수익을 떼고 계산해 보니 70만 원에
팔려야 겨우 만 원의 이득을 줬다. 게다가 나처럼 기본기 없는
새내기의 작품에 70만 원은커녕, 10만 원에도 안 팔릴 것 같았다.

정말 쉽게 결정을 못 하고 있었는데, 그때 현장에서 마달
작가님의 엄청난 설득으로 결국 마음이 조금 돌아서기 시작했다.
마달 작가님은 내가 본 NFT 작가 중에서에서 제일 유머러스하신
분이다. 결국 마달 작가님의 현란한 말솜씨 덕분에, 그러면 한번
배워보자는 마인드로, 결국 참여해 보기로 했다. 그리고 그와
동시에 한국 AI 작가협회에 가입했다.

"Colours and Sci-Fi Characters", 한중일 AI 르네상스 전시회

한국 AI 작가협회에서 주최한 '한중일 AI 르네상스' 전시회에서
내 작품이 걸린 현장.

참가 신청을 한다 해도, 우선은 갤러리가 1차로 심사한다고
하였고, 사실 내 작품이 1차 심사를 통과할 것이라고는 생각하지
않았다. 그러나 내 작품이 심사를 통과했다는 소식과 함께 내
작품이 갤러리에 걸리게 되었다. 그리고 기적은 여기서 끝나지
않았다. 전시회 기간 도중에 나의 작품이 팔렸다는 것이다!

해당 전시회에서 내 작품이 팔린 현장.
액자 하단에 팔렸다는 표시인 빨간 점이 붙어있다.

내가 만든 레고 작품을, 그런 하이엔드 갤러리에서 진행된
전시에 처음 걸린 것으로도 모자라, 아예 처음으로 팔아본
기록이다. 그것도 50만 원이라는 적잖은 금액으로. 그때 기분이
매우 들떠있었다. 그 신난 감정이 꽤 오래갔는지, 같은 작품의
축소 메탈 인쇄본을 2023 코리아 브릭 파티 때 선보였다. 그렇게
이 작품과 그것에 얽힌 이야기를 전국 각지에서 모인 레고인 및
레고 팬들에게 선보이고 전달하면서, 당시 행사에 참여했던 거의
모든 레고 작가분들과 크리에이터분들, 행사 일반 관람객분들의
관심을 끌었다. 심지어 대한민국 레고 크리에이터 중 가장 높은
인지도를 가진 사람 중 한 명인 "블럭도사 꾸삐"님의 유튜브
채널에 올라간 2023 코리아 브릭 파티 중계 영상에도 이 작품의
이야기가 담겼다. 그리고 무엇보다도, 내 커리어에는
난생처음으로 출격한 전시회에 작품을 50만 원에 팔아본 경력이
생기게 되었다.

2023 코리아 브릭파티 현장에 진열한 축소 버전의 동일 작품.

그 이후로도 한국 AI 작가협회를 통해서 얻은 기회들, 얻은 인맥, 등등 여러 가지 방면으로 좋은 변화가 생겼다. 앞으로도 이 한국 AI 작가협회 소속으로 참여할 여러 이벤트도 기대하고 있다.

한국 AI 작가협회와 거의 동시에 가입을 한 커뮤니티이자, 현재까지 내가 캐낸 마지막 금인 MeendArt 프로젝트 이야기도 해보자면, 여기서는 아직은 직접적으로 금전적인 수익을 본 적은 없다. 하지만 여러 국제 교류 전시회에 참여할 수 있게 되었다. 일본 NFT 커뮤니티와의 교류전, 인도 갤러리와의 교류전, 그 외 여러 가지 기회가 있었다. 무엇보다 이 MeendArt가 나에게 의미 있는 점은, NFT 작가나 이프랜드뿐만이 아닌, 사회 전반에 나를 알릴 기회가 많이 주어졌다. MeendArt 프로젝트를 통해 언론사들에 보도된 나와 내 작품들에 관련된 내용들, 그리고 기타 대외비적인 기회들이 생기면서, 앞으로 나의 성장, 그리고 커뮤니티의 성장도 매우 기대된다.

또한 여러 좋은 인연도 만날 수 있었는데, 대표적인 사례로, 인도의 한 NFT 클럽과의 교류 전시회가 있었을 때였다. 그러나 그 전시회는, 참가비가 12만 원이었다. 너무 하고 싶었지만, 학생이라서 12만 원의 참가비가 매우 부담되었다. 그러나, 이러한 나의 사정을 들으신 한 작가님이 내 몫을 대신 내주셔서 참여할 수 있었다. 12만 원, 적잖은 금액이다. 그런데도 흔쾌히 쾌척해 주셨다. 정말 감사했다. 그분 덕에 또 재미있고 의미 있는 시간을 보냈다. MeendArt 프로젝트에서 만난 사람들이 그 어떤 NFT 커뮤니티에서보다도 따뜻하고 정이 많다고 생각한다. MeendArt 프로젝트 대표이신 "만쥬" 작가님도 나를 많이 챙겨주셨다.

Heart of Hope
(Corazón de la esperanza)

MeendArt 한국 × 인도 Parallel Lights 교류 전시회 출품작.

MeendArt 한국 × 인도 Parallel Lights 교류 전시회 차원으로
서울 YMCA(왼쪽) 및 및 인도 현지 Urmila Art Gallery(오른쪽)에
내 작품이 걸린 현장.

여기에 이 MeendArt 프로젝트를 통해 얻은 기회 중 하나를 미리 말하자면, MeendArt 프로젝트를 통해 알게 된 인연 하나 덕분에 내가 꿈에 그리던 레고인 단체전 전시회를 진행할 수 있었다. 그 레고인 단체전 이야기는 이 책 후반부에 자세히 다루겠다. 이 MeendArt 프로젝트에 대해 더 많은 얘기를 하고 싶지만, 아직은 대외비적인 내용이 많아서 이야기를 깊게 하지 못하는 것은 못내 아쉽다.

이쯤에서, 미래형 아트 포토그래퍼의 의미로 다시 돌아가 보자. 내가 스스로 나를 미래형 아트 포토그래퍼로 부르게 된 이유는 사실 간단하다. 레고 컨텐츠를 만들 때, AI 등의 신기술을 적극적으로 활용하고, 메타버스나 NFT 등 미래의 먹거리라고 불리는 것들을 선점하고, 그것을 지향하고 있으니 충분히 나는 미래형 아트 포토그래퍼라고 불릴 만한 자격이 있다고 생각한다.

여담이지만, 요즘 또 틱톡에다가 숏폼을 올리는 재미가 붙었다. 영상 스타일은 내가 만든 틱톡 영상들을 보면 알겠지만, 그간 내가 찍었던 사진들을 가지고 실제 음성 대사와 스토리를 입혀서, 약간 오디오북 코믹스 형태로 만들고 있다.

그러면, 그 목소리들은 어디서 구하고, 대사들은 어떻게 구하는가? 싹 다 AI를 가지고 한다. AI로 원하는 캐릭터의 목소리를 학습시키고, 때론 내가 머신러닝을 시켜서 하기도 하고,

그렇게 만든 목소리에 내가 만든 대사를 접목해서 숏폼을
제작한다. 결국 미래형 컨텐츠를 빨리, 선점해서 만들어가려는
목적으로 틱톡에서도 활동하기 시작했다.

　　툭 까놓고 말하자면, 이것은 많은 희생을 요구하기도 했다.
이전의 내 활동 방식, 활동반경을 거의 다 내려놓아야 했기
때문이다. 좋게 말하면 기회비용이 생긴 것이다. 그래도, 새 술은
새 부대에 부어야 하는 법. 지금 내가 하는 이 작업이, 어쩌면 새
술을 새 부대에 붓는 것이라고 확신한다. 어쨌거나 미래는 오기
마련이다. 과연 내가 이렇게 뿌리고 있는 씨앗들이, 나중에
어떻게 작용하게 될지, 매우 흥미롭게 지켜보면서 활동하고 있다.

4. 소 잃고 외양간 고쳐도 좋다!

소 잃고 외양간 고친다는 말, 이 말의 뜻은 모두가 다 알 것이다. 그리고 이 말은 매우 어리석은 사람에게 쓰인다는 것도 다 알 것이다. 그러나 나는 방금 말한 그 문장에 정면으로 반박해 보고 싶다. 소 잃고 외양간 고치는 사람은 결코 어리석은 사람이 아니다. 오히려 지극히 일반적이고, 평범한 사람들의 이야기이다. 누구나 소를 잃어야 외양간을 고치기 때문이다. 그 누구나 중 군계일학이라고 불릴 만한 인물도, 그 사람은 소를 잃기 전에 외양간을 고치는 사람이라기보다는, 주변에서 누가 소를 잃은 것을 직접 보고 나서야 예방책으로 외양간을 고치는 사람이다.

물론, 진짜 1000년에 한 번 나올까 말까 하는 천재도 있을 것이다. 그런 사람은 어쩌면 누가 소를 잃기도 전에 예측하고 외양간을 고쳤을 것이다. 하지만 그런 사람은 정말 극소수다. 대부분의 "천재"라고 불리는 경우를 봐도, 남이 소를 잃어버리는 것을 보기 전에는, 절대로 본인의 외양간을 먼저 손보지 않는다.

왜일까? 이유는 단순하다. 그런 변수가 생길 것으로 생각을 못 하는 것이다. 컴퓨터 소프트웨어를 보면 단순하다. 컴퓨터 소프트웨어는 누군가가 어떻게 작동하라고 프로그래밍을 한 것이다. 그래서 그 목적대로는 일사불란하게, 일사천리로 움직일 수 있다. 그러나 다른 목적으로 쓰려고 하면 아무것도 못 한다. 그런 영역은 아예 해볼 생각을 못 하기 때문이다. 생각해 봐라. 사진 편집 툴인 포토샵한테, 내 컴퓨터에 침투한 바이러스가 있는지 검사해달라고 하면, 포토샵이 과연 뭘 할 수 있을까? 역으로, 안랩이나 어베스트같은 보안 프로그램에다가 어떤 행사의 홍보 포스터를 만들기 위해 단순한 원을 그려보라고 하면, 그것들은 무엇을 할 수 있을까? 결국 사람도 마찬가지이다. 물론 컴퓨터에 비해 우리 인간은 여러 가지 측면을 다각도로 생각할 수 있다. 그러나 단언컨대, 지금까지 인류가 단 한 번도 겪어보지 못한 문제를 풀라고 하면, 지구상의 그 누구도 좋은 해결책을 빠르게 제시하지 못할 것이다.

당장 2019년 말에 발원해서 바로 그 다음해인 2020년에는 전 세계를 강타하게 된 코로나19 팬데믹만 봐도, 심지어 역사상 이전에도 팬데믹은 여러 차례 있었음에도 백신 개발 및 공급을 바로는 못 하지 않았는가! 그로부터 햇수로는 5년이나 지난 지금, 코로나19는 이제 엔데믹이 되었다고 한들, 아직도 코로나19 확진자는 여전히 나오고 있지 않은가. 인류 역사상 첫 팬데믹도 아닌데, 5년의 세월이 지나는 동안에도 100% 종식하지 못했다. 여기서 이런 팬데믹을 일으킬 바이러스를 개발하기 위해서 연구하는 데에만 아무리 서둘렀다 한들 반년 이상 걸렸는데, 결국 이것도 전 인류가 소 잃고 외양간을 고친 격이지 않은가. 그리고 코로나19 팬데믹 이후, 지금 전 세계 학자들이 모여서 향후 발생할 모든 팬데믹을 일으킬 바이러스를 한 번에 잡을 수 있는 범용 백신을 개발하는 프로젝트에 열중하고 있다고 한다. 더 이상 소를 잃지 않겠다는 굳건한 의지 속에서 진행하고 있다고 봐도 무방하다.

결론은, 인류는 소를 한 번 잃어봐야 외양간을 그제야 고치는 존재이다. 그러니까 인류는 완벽하지 않다는 말이 맞다고 생각한다. 완벽에 가까워지도록 갈 수 있어도, 완벽함의 수준으로는 마치 점근선이 있는 마냥 갈 수 없다고 나는 믿는다. 애초에 완벽의 수준에 도달할 수 없는 데에는 과학적인 이유가 있다. 그 이유를 한 번 설명해보겠다.

우선, 완벽이라는 수준에 도달했다고 가정하자. 모든 것은 이제 더 이상 변화가 필요 없을 정도로 완성되었다고 하자. 여기서 주목해야 할 점은, "변화가 필요 없다"라는 대목이다.

변화가 필요 없다는 현상을 과학적으로 설명하자면, 에너지 및 엔트로피의 이동이 더 이상 필요 없다는 것이고, 그러면 에너지 밑 엔트로피는 더 이상 아무런 움직임 없이, 멈춰버리는 것이다. 곧, 이런 상황 속에서는 모든 사물을 이루는 원자나 분자들이 운동하지 않는다는 것이다. 그리고 그런 상황은 결국 과학적으로, 죽은 상태로 정의된다. 무언가가 죽은 다음에는, 내포된 에너지도 더 이상 없다. 하지만 이런 상태는 과학적으로, 존재 자체가 불가하다. 그 이유는 바로, 중고등학교 때 배웠을 법한 열역학 법칙만 봐도 알 수 있다.

0법칙부터 3법칙까지 있는 4가지의 열역학 법칙 중, 열역학 제 2법칙의 정의를 보면, 「고립계에서 엔트로피(무질서도)의 변화는 항상 증가하거나 일정하며 절대로 감소하지 않는다.」 라고 정의되어있다. 이 말은 곧, 에너지 전달에는 방향이 있다는 것을 의미한다. 여기서 에너지가 전달된다는 것은, 곧 에너지는 이동한다는 것이다. 그러면 결국 변화가 생기는 것이다. 이 내용이 결국 열역학 제 2법칙이다.

이렇게 열역학 제 2법칙에 따르면, 세상에는 변화가 없을 수는 없다. 그럼 결국, 더 이상 변화가 필요 없어져서 모든 게 완벽해진 세상은 결코 존재할 수 없다는 결론이 나온다. 만약 이 책을 읽는 사람이 종교가 있다면, 본인의 종교에서 말하는 사후 세계에는 어떨지는 모른다. 나도 천주교 신자라서, 천국이라는 사후 세계를 믿는다. 거기서는 변화가 필요 없을 정도로, 모든 게 완벽한 상태일 것이라고 믿는다. 그러나, 사후 세계가 아닌, 일명 인간 세상, 혹은 이승이라고 불리는 곳에서는 절대로 완벽해질 수 없다. 그리고 이것은 과학적으로도 이미 증명된 내용이다.

애초에 완벽할 수 없는 세상에 사는 우리가 어떻게 완벽할 수 있을까. 논리적, 상식적으로 생각해도 말이 안 된다. 그러니까 우리는 소를 잃어야 외양간을 고칠 수밖에 없고, 좀만 천재라면 내 주위에서 소를 잃는 것을 보고 자기 외양간을 손보는 사람일 것이다.

그러면 여기서, 진짜 어리석은 사람은 무엇일까? 바로, 소를 한 번 잃었다고, 모든 의욕을 잃고, 있는 외양간을 고치지 않고, 그냥 다시는 소를 안 들이겠다고 다짐하고, 외양간을 그대로 부숴버리는 사람이다. 소를 잃었을 때, 사실 외양간을 고치고, 나중에 소 한 마리를 다시 들이면 되는 것이다. 그리고 그것이 장기적으로 도움이 될 텐데, 소를 한 번 잃었다는 그 상실감에 사로잡혀서 외양간을 파괴해버리면, 앞으로 나올 긴 미래를 버리는 것으로 생각하기 때문이다. 사실 이런 사례를 볼 때마다, 개인적으로는 그런 사람들이 매우 안타깝게 보인다.

참고로, 여기서 다시 한번 말하지만, 이것은 엄연히 나만의, 내가 생각하는 관점이다. 다른 사람들은 또 다르게 생각할 수도 있다. 어쩌면 이런 다양한 관점들이 존재하는 것이, 이 사회를 더 다채롭고 재밌게 만드는 것이 아닐까 싶다.

결론적으로 하고 싶은 말은, 그 누구도 완벽하지 않으며, 그에 따라서 저지르는 실수와 겪는 실패는 필연적이다. 나도 지금까지 내 인생에서 저지른 실수와, 겪은 실패의 횟수는 셀 수 없을 정도로 많다. 당장 2023년의 첫 3개월도 또다시 실수하고 실패를 맛본 것이다. 그래도 나는 그것이 잠시 브레이크는 걸 수 있어도, 영영 멈춰버리게 하진 않을 것이다. 오히려, 나는 이 외양간을 다시 한번 손보면서, 기왕 이렇게 된 거, 이 외양간을 다 고친 다음에는 더욱 건강하고 기력이 센 소를 데려오리라, 이 생각을 하고 있다.

PHASE 9

새 비전을 태우는

새 연료

1. 비 온 뒤 땅은 굳어진다.

격변의 3개월 동안 비바람이 빗발쳤다. 언젠간 이 시기는 왔어야 했다. 필연적임을 넘어서, 그러지 않았다면, 그것이 오히려 더 큰 참사일 것이다.

힘든 시간이었고, 아직도 그 여파가 남아있는 지금, 과연 그 3개월 동안 잃기만 했을까? 표면적으로는 그간 쌓아 올린 것을 상당수 잃어버렸다. 하지만 그것이 장기적으로 보면, 이득일까, 손해일까? 당장 그 짧은 기간만 볼 땐 손해가 확실하다. 하지만 장기적으로 보면, 그것이 이득인지, 손해인지는 "모른다"라는 결론이 도출된다. 100m 단거리 선수와 마라토너의 필승 전략은 분명히 다르다. 만약 그 3개월이 내 인생 마지막 3개월이었다면 손해인 것이 확실하다. 하지만, 이 책을 쓰는 시점부터, 거의

70~80년은 더 살 텐데, 80년을 살아갈 전략은 당연히 3개월을 살아갈 전략과는 차이가 있을 수밖에 없다.

비는 과연 왜 필요한가? 비가 오는 순간에는, 우리가 불편함을 느끼는 점들이 아무래도 있다. 도로가 다 젖고, 우산이라는 또 하나의 걸리적거리는 거대한 짐을 들고 가야 하고, 심지어 어떨 땐 우산을 써도 소용이 없을 정도로 순식간에 흠뻑 젖어버리기도 한다. 그러나, 이 비가 만약 손해만 끼친다면, 비는 굳이 우리 속에 있지 않을 것이다. 비가 너무 안 와도, 가뭄이라는 문제가 생기고, 가뭄이 생기면 그해의 농작물들의 작황 상태가 안 좋아지는 것은 불 보듯 뻔한 문제다. 즉, 비가 어느 정도는 와줘야 당장 우리 생존과 직결된, 먹을 것을 원활하게 구하는 것이 가능하다. 하물며 태풍도, 지나가는 그 순간에는 큰 피해를 준다. 태풍으로 애써 키운 농작물들이 다 쓸려나가고, 마을이 통째로 사라지고, 그 과정에서 심할 경우 인명 피해 발생 등의 안타까운 소식도 들려온다. 그러나 장기적으로 볼 때, 자연계의 안정적인 순환을 위해선, 그 무시무시한 태풍도 없어서는 안 될 존재임이 분명하다.

그리고 비가 온 다음에는 무엇이 있는가? 비가 온 이후에는 하늘이 아름답게 개고, 맑은 하늘이 생기고, 때로는 바깥 하늘에 더 아름다운 풍경을 만들어주는 무지개가 뜬다. 일반적으로 무지개가 뜨기 위해서는 일단 비가 와야 한다. 하늘에서는

무지개의 아름다움을 보여주고, 땅에서는 토양이 더욱 비옥해지게 된다.

어쩌면 이젠 나한테 맞는 무지개가 뜨고 있지 않겠느냐는 생각도 든다.

섣불리 왔다고 확신하진 못하겠으나, 암울한 시절도 좋았던 시절처럼 끝이 오긴 온다는 것을 겪고 있으니, 곧 무지개가 필 것으로 생각한다. 그리고 이번 기회로 내가 쌓은 활동 기반을 재정비하면서, 내가 구축하고 있는 나만의 커리어를 올리게 될 땅이 훨씬 비옥해졌을 가능성이 열렸다고 생각한다.

물론, 이 시련이 내 인생 마지막 시련이 될 리도 없고, 되어서도 안 된다. 앞으로 80년을 더 사는데, 몇 번의 시련이 올지, 가늠도 안 된다. 당장 8개월, 아니 8주 후의 상황도 잘 알 수 없는 상황이니, 매사에 뭔가를 단언할 수 없다는 생각이 든다. 그간 내가 픽스되었다고 생각되었던 일들, 단순히 업무, 학업, 커리어적인 면뿐만이 아닌, 진짜 내가 이건 불변할 것으로 생각했던 그 모든 것들이 다 뒤틀리는 것을 직접 느끼고, 겪었다. 그리고 앞으로도 또 분명 이렇게 될 것으로 예상했었는데 예상과 전혀 다른 양상으로 흘러갈 수도 있기 마련이다.

그렇다고, 예상대로 안 흘러간다고 모두 나쁜 것이냐?
아니다. 어쩌면 예상대로 안 흘러갔는데 더 좋은 방향으로
흘러가고 있을 수도 있다. 다만 내 성향이 유독 이게 강한 것
같은데, 좋은 방향으로 흘러가든, 나쁜 방향으로 흘러가든, 내가
예상한 그 시나리오대로 안 흘러가면 난 몹시 당황하고 머리가
하얘지기도 한다. 그래서 그게 좋은 방향으로 흘러가는지도 못
보고, 어떻게든 내가 예상한, 혹은 내가 원하는 시나리오대로
흘러가게 하려고 이런저런 조치를 취하다가 모든 것을 다
망쳐버린 일화도 많다. 그것이 최근에 유독 강하게 나온 것이 그
격변의 3개월이 된 것이다.

어쩌면 그 격변의 3개월이 촉발된 그 첫날에, 옳은 처세술로
처리했다면 그 3개월의 흐름은 매우 달라졌을 것이다. 하지만
그것은 이미 벌어진 일이자 이미 지나가 버린 과거다. 그거에
대해 반성은 꾸준히 해야 하지만, 그 일을 붙잡고 후회를 하는
것은, 내면의 성장에 전혀 도움이 되지 않는다. 반성은 하되,
후회는 하지 않는다, 이것이 내 인생 전반의 새로운 좌우명이 된
것 같다. 아니, 되었다. 그 격변의 3개월 동안 얻은 측면은
충분히 얘기했었다. 과연 그 암울한 기간에 얻은 게 있을까? 싶은
생각이 드는 사람들은 이전 이야기들을 다시 한번 읽어보길
바란다.

이 말을 생각해 봐라. 나에게 어떤 사건이 일어났다면,

절대로 100% 얻어가게만 하거나, 100% 잃어버리게만 하는
사건은 없다. 얻음과 잃음의 개수 및 정도의 차이는 있을 수
있어도, 절대로, 전적으로 주기만 하거나 뺏기만 하는 사건은
없고, 그럴 상황도 절대 오지 않는다. 나는 이것만큼은 확실히
단언할 수 있다고 생각한다. 만약 누군가가 이 말에 반박할
사례를 들고 왔다면, 매우 높은 확률로 그 사람은 해당 사례의
내막 및 전후 사정 등을 잘 알지 못하거나, 아니면 범죄와의
연결점이 어딘가에 있을 것이다. 그래서 사실 매우 좋다는 것을
과하게 과장하듯 강조하면서 권유하는 것은 조심해야 한다.

2. 세 번째 리부트를 하다.

심리적으로 힘들었던 기간이 이제는 지나갔다. 여기서 주의할 점은, 그 기간이 지나갔다고 다시 예전처럼 돌아간 것은 아니다. 단지 이젠, 앞으로 나아갈 에너지를 다시 낼 수 있을 정도로, 불안정했던 심리 상태가 회복되었다는 것이다. 어떤 것들은 그 전에 이미 사고가 너무 크게 나서, 회복 불능의 상태가 된 것들도 있다.

그러면, 여기서 선택할 수 있는 경우는 두 가지이다. 관계가 깨진 사람들에게 어떻게든 거듭 사과해서 관계 회복을 하거나, 아니면 새 출발이란답시고, 리부트하는 것이다. 전자가 더 쉽고 후자가 어렵다, 혹은 그 반대이다, 이건 섣불리 말할 수 없다. 방법별로 장단점은 있으나, 때에 따라서는 각 방법이 지닌 장단점만으로는 무엇이 현명한 선택인지, 그 판단이 어려울 때도 있다고 생각한다.

우선, 이상적인 경우부터 보자. 진짜 이상적인 것은, 전자의 방법을 취하고 성공했을 때이다. 왜냐하면 그것이 거의 예전처럼 돌려버리는 것이다. 잃어버린 사람이랑 다시 연계되는 것, 그것이 제일 이상적이다. 단순히 그 사람 한 명과만 연계되는 것이 아닌, 그 사람이 연결해 줄 다음 인연들의 퍼텐셜을 볼 때, 사실 제일 이상적인 것은 깨진 관계를 회복하는 것이다.

그러나, 앞서 말한 상태는 전제 조건이 있다. 그 사람의 퍼텐셜이 얼마냐, 그것을 보는 것이다. 만약 관계가 깨졌는데, 그 사람과 관계를 회복해봤자 나한테 도움이 안 된다면 굳이 그 사람이랑 회복할 필요가 없다고 사람들이 생각할 것이다. 이렇게 생각해 보니, 내가 초등학교에 다닐 때 어른들이 나한테 실력을 쌓아야 한다고 거듭 강조한 이유를 알 것 같다. 도움이 안 될 사람은 그 누구도 쳐다보지 않게 될 테고, 사실 살면서 누군가랑 관계가 깨지지 않을 순 없는데, 그때 그 사람에게 도움이 될 실력이라도 있으면 일말의 회복할 여지가 생기니, 그런 이유도 있는 것 같다.

실제로, 내 고등학교 후배 중에 한때 친했던 사람이 있다. K라는 후배가 있었다. 그 후배는 사실 고등학교 재학 중에는 만난 날이 적다. K는 중간에 내가 다니던 고등학교로 편입했는데, 편입 날짜가 내가 대학 수시합격이 다 나고 난 다음에, 즉 고등학교 졸업을 얼마 앞두지 않은 시점에 와서, 사실 고등학교 재학했을 때의 기간보다는 고등학교 졸업 후에, 한때 자주 어울리면서 다녔다.

결론부터 말하자면, K와 어울리기로 한 그 선택은 정말, 그 당시에 내린 최악의 의사결정이었다. K랑 나는 관심사가 같아서 금방 친해졌다. 심지어 내가 가진 불만 포인트도 어쩜 저렇게 딱딱 떨어지는지, 대화를 시작하면 너무 잘 통하니까, 시간 가는 줄 몰랐었다. 그때까지만 해도 나는 그 고등학교를 다닌 시간 내내 못 만나다가, 졸업 임박해서 만난 소울메이트라고 생각했다. 하지만 그것은 다 내가 K의 교활함에 넘어간 것이었다.

어느 순간, 친해지고 나니, K의 행동이 조금씩 이상해지기 시작했다. 나는 뭐 사실 과한 격식을 좋아하진 않아서, 걔가 어느 순간 말 놓는 것, 별로 거슬리지 않았다. 어차피 선후배 사이에서도 친해지면 말 놓는 것은, 별로 이상할 게 없으니까. 그러다가 어느 순간 나한테 형이라는 말로 안 부르고, 내 이름으로 부르기 시작했다. 거기까진 그래도 뭐, 별로 신경이 안 쓰였다. 나랑 정말로 친하다고 생각하는군, 이 정도로만 생각했다.

그러나, 문제는 그다음부터였다. 같이 영화를 보기로 한

날이었다. 심지어 그 영화도, 내가 당시 진짜 보고 싶었던
것이었던 "어벤져스 인피니티 워"였다. 나는 마블, DC 등
슈퍼히어로 골수팬으로서 진짜 기대를 많이 했던 영화였고, 정말
빨리 보고 싶은 영화였음에도 K랑 보기 위해 나는 정말 궁금해도
다 참고 있었는데, 영화 보기로 한 당일, K는 갑자기 나한테 못
간다고 통보했다. 그것도 영화 시작하기 2시간쯤 전에. 그래도
나는 얘가 급한 일이 생겼구나 싶어서, 힘들게 예매한 영화표를
취소하고 날짜를 다시 잡았다. 당시 그 영화표 예매하기는 무슨
탑 아이돌 콘서트 티케팅을 방불케 할 정도로 어려웠는데, 그걸
취소하고 다른 날짜에 다시 예매했다. 그러나 K는 새로 잡은
약속 당일이 되어서, 또 못 온다고 했다. 그렇게 다시 취소 후
재예매를 여러 차례 더 한 후에야 겨우 같이 봤다.

　　지금 다시 그때를 회상해보면서 이전과 다르게 와닿고 있는
점은, 처음에는 진짜 내가 대학에서 수강 신청할 때와 같은
느낌이 들 정도로 표를 예매하기가 힘들었는데, 갈수록 영화표를
예매하기 쉬워졌었다. 과연 영화를 같이 보기로 한 약속 날짜가
몇 번이나 바뀌었는지, 아니 미뤄졌는지도 모르겠다.

　　심지어 영화를 같이 보러 간 그날에, K는 나한테 자기는
이미 그 영화를 봤다고 말했다. 처음에는 그냥 장난치려고 한
말인가 했지만, 그것은 사실이었다. 언제 봤는진 모르겠지만, K는
이 영화의 결말까지 이미 알고 있었다. "어벤져스; 인피니티

위"는 결말에 약간의 반전이 있는데, 그 장면이 나오기 직전에 K는 의미심장하게 바로 다음 장면을 주의 깊게 보라고 했다. 그 말을 듣고, 극 중 메인 빌런인 "타노스"가 결국 모든 인피니티 스톤을 다 모으는 장면을 봤다.

마블 세계관에서 나오는 "인피니티 스톤"의 모습.
설정상 빅뱅 이후 생긴 여섯 개의 특이점 "Sapce", "Reality", "Mind",
"Time", "Power", "Soul"를 각각 상징하며 생성되었으며, 위 6가지
스톤들을 모두 다 모으면 엄청난 힘을 얻게 된다.

사진들은 모두 2018년 싱가포르에서 열린
마블 시네마틱 유니버스의 10주년 기념 전시회에서 직접 촬영했다.

인피티니 스톤이란, 마블 세계관에서 우주의 여섯 가지 다른 측면과 연결된 엄청나게 강력한 여섯 개의 보석 같은 것이다. 극 중에서 타노스가 그렇게 여섯 개의 인피니티 스톤을 다 모으고, 그로 인해 전 우주 생명체의 절반을 날려버린 장면까지, K는 이미 알고 있었다. 영화의 결말에서, 타노스가 마지막 인피니티 스톤을 얻는 장면에서부터 시작된 반전 서사, 그리고 쿠키영상의 내용까지 싹 다 알고 있는 K를 보며, 사실 그때 조금 기분이 불편했지만 그래도 일단은 넘어가 주었다.

그러나, K의 만행은 그게 시작이었다. 그 후로도 자꾸 뭘 하기로 약속했는데 약속 당일 노쇼하고 못 온다고 얘기했다. 심지어 한 번은 약속 장소가 우리 집이랑 멀어서 내가 집에서 일찍 나오고, 시간 맞춰서 장소에 도착했는데 그때 K가 못 온다는 연락이 왔다. 결국 그대로, 그 먼 거리를 다시 돌아갔다. 그런 게 반복되다가 결국 어렵사리 만나서도, 정말 나를 업신여기는 마음을 가지고 있지 않고서야 나올 순 없는 행동도 서슴잖게 하기 시작했다. 어떤 무례한 행동을 했는지는 구체적으론 밝히진 않겠으나, 당시 이 이야기를 내 대학 동아리 선배에게 털어놨더니, 그 선배마저도 K랑 바로 손절하라고 강하게 얘기했을 정도였다.

이런 게 쌓이던 중, K한테 다시 연락이 왔다. 이제 예비 고3이 된 K가, 나한테 대입 관련해서 묻고 싶다고 하면서, 내가 사는 동네까지 직접 오겠다고 했다. K의 집에서 대중교통으로 40분 정도 걸리는 내가 사는 동네까지 오면서까지도 나한테 그렇게 조언을 구하고 싶다니, 만나기로 했다. 웬일로 K는 이번에는 약속 장소에, 약속 시간보다 오히려 일찍 와있었다. 나보다 먼저 그곳에 도착해서 나를 기다리고 있던 것이었다. 그것도 한 번에. 정말 절박하긴 했나보다 싶은 마음에, 나는 성심성의껏, K의 상황에 맞춰서 어떻게 하라고 구체적으로 설명했고, K는 내가 보는 앞에서 메모까지 하는 모습도 보였다. 그래서 그때 나는 K가 드디어 정신을 차렸구나 싶었다.

그러나, 그때의 만남이 K와의 마지막 만남이었다. 그렇게 온 정성을 다해서 얘기를 해줬는데, 며칠 후 K한테 전화가 왔다. 통화하면서 자기가 무슨 학교의 무슨 과에 넣었다고 말했는데, 내가 해준 조언들은 그대로 무시하고, 내가 그렇게 지원하지 말라고, 뜯어말린 과들로만 다 지원했다는 것이다.

쌓인 것이 그대로 폭발하며, 그때는 K에게 직접적으로 노발대발 화내진 않았으나, 그 통화를 끝으로, K와의 인연을 정리했다. 집으로 걸어가는 길에 K의 모든 연락처를 지우고, K의 소셜 미디어 계정들을 싹 다 차단했다. 그리고 그 후 K에 대한 소식은 아무것도 듣지 못했다. 지금도 K가 어디서, 뭘 하고 있는지도 모르겠다. 다만 맨 처음에, K랑 말이 잘 통했다는 이유로 가까이 지낸 기간, 햇수로는 3년인데, 그 3년 동안 좋지 못한 의사결정을 많이 했다.

그러는 와중에도 K한테 배운 것이 있다면, 절대로 K처럼 살지 말아야겠다는 점, 그리고 K 같은 사람은 처음부터 멀리해야 했다는 점이다. 그리고 100% 맞출 수 있다고는 못 하겠지만, 누군가를 처음 만났을 때, 그 사람이 K와 같은 유형의 사람인지, 어느 정도 대략적인 감을 잡을 수 있다. 만약 이 책에서 말한 K가 본인일 것 같다는 생각이 든다면, 부디 본인이 한 행동을 뼈저리게 반성하길 바란다. 굳이 본인 이야기 같진 않더라도, 이 책을 읽으면서 과거에 본인이 한 행동들이 지금 K의 행동과 유사한 행동을 많이 했던 것 같다면, 그 사람도 제발 뼈저리게 반성하길 바란다. 왜냐하면, 나도 K를 버린 것처럼, 누군가도 본인을 버리게 될 것이기 때문이다.

지금 K에 대해서는 정확하겐 모르겠지만 진짜 건너 건너 듣기로는, 별로 좋은 상태에 처한 것 같지는 않다. 게다가 어떻게 된 일인지, 다소 안타깝게 생각하지만, 본인의 과거 모습도, 생각도, 전혀 바뀐 것 같지도 않다. 그래서 나는 K 같은 사람과는 굳이 관계 회복에 중점을 두지는 않을 것이다.

일단 나는 K와 같은 행동을 하진 않았으나, 애석하게도 모종의 사유들로 나도 절연 당한 사람들이 바로 2023년 1월부터 3월까지 좀 있다. 그리고 나는 아직 사회 경험도 없기에, 당연히 유의미하게 내밀 수 있는 실력이나 능력이 부족할 수밖에 없다.
즉, 그 사람들에게 나는, 나와 관계 회복을 할 만한 이유를
아직은 주지 못하는 상황이다. 그럼, 결국, 앞서 말한 이상적인
케이스는 내 상황에선 적용될 수 없다. 물론, 언젠간 나는 어떤
분야에서는 대체 불가한 사람이 되도록, 내 실력을 더 쌓아서
완성해야 한다. 하지만 그것은 하루아침에 되진 못하니,
현시점에선 그것이 불가하다. 결국 나는 리부트를 하듯이, 내
인생에서의 3번째 리부트를 해야 한다. 이전 두 차례의 리부트는
전작에서 심도 있게 다뤘으니, 그 이후인 3번째 리부트 이야기를
해보겠다.

일단, 비어버린 인연만큼은 다시 채우면 된다. 한국 AI
작가협회 및 MeendArt 프로젝트를 통해서 NFT 작가들과의
교류는 원활하게 재개되어서 진행되고 있다. 내 작품을 그
청담동이라는 부촌에 있는 아트 갤러리에 걸려서 적잖은
금액으로 팔아보지 않았는가! 그리고 MeendArt를 통해서 일본,
인도 등 해외 교류전에도 참여하고, 더 나아가 MeendArt를
통해서 연결된 Global DAO 에도 가입할 기회가 생겨서 진짜
꿈에 그리던, 전 세계 NFT 작가들과의 소통할 기회도 생기고, 그
Global DAO를 통해 싱가포르에 소재한 갤러리에 내 작품이
소개된 기회도 얻었다.

여기서 DAO 가 무엇인지 설명하자면, DAO 는 WEB 3.0

및 블록체인의 원리가 도입된 새로운 개념의 커뮤니티 비슷한 것으로 생각하면 된다, DAO라고 하면, "탈중앙화된 자율 조직"이라는 뜻의 "Decentralized Autonomous Organization"의 앞 글자를 따와서, 약자로 DAO라고 부르는 것이다. 부연 설명을 하자면, 공동으로 추구하는바 및 규칙하에 자동적이고 자율적으로 돌아가는 조직이다. 여기서 탈중앙화라고 하면, 과거에는 어디 수뇌부에 모든 것이 집중되어 있고, 거기에 연결된 가지들이 많은 구조였다면, 탈중앙화는 핵심 수뇌부 없이, 각 요소가 하나하나 그 중앙 조직처럼 작동하고, 블록체인의 원리로 각 중앙 조직이 연결된 것이다. 이해를 돕기 위해, 시스템 구조를 도식화한 아래 이미지를 보길 바란다.

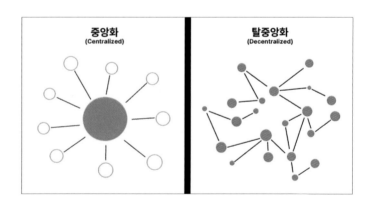

왼쪽 이미지처럼, 가운데에 핵심 축이 있고, 나머지 요소들은 거기서 파생된 가지로 된 것이 기존의 중앙화된 시스템 구조의 형태이고, 오른쪽 그림은 시스템 내의 모든 구성 요소가 다

핵심이 되고, 이것들이 모두 연결 및 공유하고 있다는 것이다. 탈중앙화 상태의 장점은 기존보다 관리가 쉽다는 것이다. 그리고 개개인 중요도의 가중치가 다 같아서, 수평적인 구조로 모든 구성원끼리 원활한 소통과 관리를 할 수 있다는 것이다. 물론, 사공이 많으면 배가 산으로 가긴 한다. 그래서 탈중앙화 조직의 어쩌면 가장 큰 문제가 바로 사공이 많을 때 배가 산으로 가버리는 구조가 되기 쉽다고 생각한다. 보안 등 시스템 구축과 관련된 기술적인 문제들은 제외하고 말이다.

거기에 레고 사진계에서는 거의 강제로 물러나게 되었지만, 그래도 기존에 교류하던 사진가들이 아닌, 새 사진가들과의 인연도 맺었다. 기존에 교류하던 레고 사진가들 사이에서는, 다른 데에선 내 나이로는 막내 라인이 되었을 텐데, 거기서는 원로급이 되었을 정도로, 젊다 못해 어린 친구들과 교류했다. 그래서 사실 그 사람들을 데리고 뭘 시도하긴 다소 무리가 있었다. 무리하게 시도도 했지만, 성공적이었던 케이스는 단 한 건도 없다. 오히려 그런 무리한 시도도, 내가 결국 물러나게 된 원인 중 하나가 되었다.

하지만 그렇게 물러나게 되면서 다른 인연이 놀라울 정도로 다시 생겼다. 이번에는 나와 뜻이 같은 사람들이 모이기 시작했고, 이번엔 모두 다 성인들이어서 같이 뭘 하기가 수월했다. 그리고 이 사람들과 같이, 진짜 꿈에 그리던 사고를 쳤다. 국내 최초로 레고 사진전도 열게 되었다. 이 책 뒷부분에 이 사진전 이야기를 다룰 것이다.

아무튼 WEB 3.0 관련 활동 및 새로 만난 레고 사진가들과의 인연으로, 나는 내면의 발전을 이룬 리부트 과정을 하고 있다고 생각한다. 이프랜드도 진짜 내면의 성장을 가져다줬고, NFT 입문 후에, 내가 보지 못한 세계를 보고 있으니, 세 번째 리부트는 이전 두 차례에 비해 스케일이 다른 리부트로 봐도 된다.

첫 번째 리부트는 전작에 명시한 독서를 하게 된 9개월의 기간이 촉발했고, 두 번째 리부트는 메타버스 입문을 통해 되었다면, 세 번째 리부트는 아이러니하게도 격변의 3개월이 촉발했다. 분명 이전 리부트와 다르게 세 번째 리부트는 부정적인 사건이 촉발했는데. 정작 가장 강한 여파를 보여준 리부트가 되었다.

정말 아이러니하다. 하지만 진짜로, 고생 끝에는 낙이 오고, 비 온 뒤 땅은 굳어진다는 것을 보여준 것이 이 세 번째 리부트 같다. 지금 다시 돌아오려는 행복하고 기쁜 순간도 절대 영원하진 않을 것이고, 다음 시련도 언젠간 올 것이다. 그때 되면 인생의 리부트를 다시 할 것이다. 그때 할 리부트는, 아마 이 세 번째 리부트보다 더 큰 파장을 분명히 불러올 것이다. 이번 일로 학습한 것, 긍정적인 기회로 인한 리부트도 분명 가치가 있지만,

부정적인 일을 겪고, 그로 인해서 촉발된 리부트가 더욱 높은
가치를 지니게 된다는 것이다.

더 이상 시련을 두려워할 필요가 없어졌다. 물론 이렇게
말해놓고 정작 시련이 다시 오면 나는 다시 심리적으로
연약해지면서 불안과 공포를 느낄 것이다. 그러나 확실한 것은,
이번 일을 통해 그 기간도 역시 끝이 있다는 것을 알게 되었다.
시련도 거듭 겪다 보면 그것도 나름 받아들이고, 피해를
최소화하면서, 지금 처한 시련을 빨리 넘길 요령을 배우지 않을까
싶은 의문점도 생겼다. 무엇보다 시련이 다시 왔을 때, 그 후에
펼쳐질 훨씬 더 높은 차원의 행복이 올 것을 알게 되었다. 이렇게
나는 시련이 왔을 때 이겨내야 할 이유와 동기부여도 하나
얻어갔다.

3. 리부트 후에 생긴 변화들

리부트하는 목적은 무엇인가? 리부트라고 하면, 재시작을 하는 것을 말한다. 나도 지금, 이 리부트를 한 후에, 생긴 변화를 얘기해 보려고 한다. 앞선 절에서는 리부트된 내용, 즉 리부트 하면서의 과정 안으로 들어가서, 즉 리부트하는 줄거리를 얘기했다면, 여기서는 리부트 현장을 밖에서 지켜봤을 때의 관점으로 얘기해 보겠다. 포커스는 리부트하면서 생긴 주변의 사정이 아닌, 이번에는 온전히 나한테 생긴 재시작의 변화에 맞춰서 하겠다.

사실, 얻은 중대한 변화는 한 가지이다. 바로, 앞 절 끝에 말한, 시련을 두려워하지 않게 된 것. 사실 시련이 안 두렵다고 하면 그것은 너무 명백한 거짓말이다. 제아무리 성숙해지고, 모든 세상의 이치에 통달했다 하더라도, 시련은 무서울 수밖에 없다.

시련에 관한 이야기를 하기 위해, 101세에 돌아가신 내 증조할아버지 얘기를 해보겠다. 101세, 누가 봐도 장수하셨다고 인정할 것이다. 보통 증조할아버지와 증손자의 일명 "투샷"은 머릿속에 어떻게 그려지는가? 이것을 알아내기 위해, 약간의 실험을 해보겠다.

실험을 위해 AI에 한번 증조할아버지와 증손자가 같이 있는 장면을 만들어달라고 했을 때의 사진을 가져와 보겠다. 나는 사진 속에 등장할 인물들의 연령대와 관련해서는, 그 어떠한 키워드도 프롬프트(지시 및 설명 사항)에 넣지 않았다. 이것도 증명하기 위해, 내가 프롬프트에다가 넣은 내용들까지 모두 공개하겠다.

내가 실험하기 위해 쓴 AI 툴은 Chat GPT 4.0과 연결된 DALLE-3에서 실험했다. 여기서 프롬프트를 보면, 증조할아버지나 증손자의 연령대에 대한 정보는 일절 주지 않았다. 더 나아가, 프롬프트에는 숫자가 아예 없다. 그런데도 AI는, 매우 고령의 할아버지와 매우 어린 아이를 같이 그렸다. AI는 결국 우리 인간의 상식을 그대로 모방하게끔 설계하는 것이 목표이자 원칙이다. 이 과정에서, 인류가 가진 공통의 고정 관념도 그대로 AI는 학습하게 된다. 말이 많은 소재이긴 하지만, AI에다가 교사의 이미지를 그려보랬더니, 주로 여성을 교사로 그리는 경향이 있고, 군인의 이미지를 그려보라고 하면 남성을 군인으로 그리는 경향이 있음을 확인하지 않았는가? 그것만 봐도, 우리 인류가 진화해 오고, 문명을 구축하면서 그간 쌓인 데이터에, 그런 알게 모르게 생긴 고정 관념적인 요소까지도 AI가 학습하게 된다. 그래서 AI로 저렇게 포괄적으로만 지시했을 때, "일반적인" 증조할아버지와 증손자의 모습을 저렇게 낸 것이다.

하지만 내 증조할아버지는 달랐다. 돌아가셨을 때 나는 대학교 2학년이었다. 즉, 증손자가 대학에 가는 장면을 보신 것이다. 솔직히 나는 내 증손자, 혹은 증손자뻘의 누군가가 대학에 입학하는 장면을 과연 볼 수 있을까 싶다. 그 정도로, 101세의 숫자만 강조하지 않더라도 얼마나 장수하셨는지는 이제 짐작이 갈 것이다.

나는 증조할아버지의 마지막 순간들을 보면서 놀란 점이
있다. 어떻게 뭐 비꼬려는 의도는 없으니, 오해하지 말고 듣길
바란다. 사실 고백하자면, 나는 101세 정도 되었으면, 모든
세상의 이치를 통달하고, 두려워할 것도, 미련도 없이 이제는
세상을 떠날 운명임을 무덤덤하게 받아들일 것 같았다. 그러나,
엄마한테서 들은 증조할아버지가 내뱉으셨다는 말이 꽤 놀라웠다.
바로, 증조할아버지께서 "어머니가 보고 싶다"라고 말씀하신
것이었다. 아무래도 이제 때가 되면서, 온몸의 기능이 서서히
멈춰갈 때, 느끼셨을 그 고통. 나는 감히 짐작밖에 못 하겠지만
되게 고통스러우셨을 것이다. 그리고 이 고통은, 살아오신 101년
동안 단 한 번도 느껴보시지 못하셨던 고통이었을 것이다. 그
상황 속에서, 아이나 어른이나, 어느 사람이나 다를 바 없이,
괴로울 때 부모님을 찾는 마음, 101세가 되셔도 여전히 있으셨다.
되게 놀랐다.

　　증조할아버지의 연세가 세 자릿수가 된 그 순간에도, 나를
비롯한 내 사촌들과도 대화가 원활하게 되실 정도로 열리신
분이셨다. 그리고 꾸준히 배우려고 하시고, 계속 무언가에 관해
공부하시기도 했다. 영어 공부도 하시고, 컴퓨터 활용법 공부도
하시고, 매일 꾸준히 운동도 하셨다. 요즘 말로 하면, 노년이
되어서도 "갓생"을 사시던 분이셨다. 그러니까 우리 눈에는 정말
모든 이치에 통달하신 분으로 보였다. 그러나 그랬던 분이, 정작
때가 되니 어린이나 다를 바 없이 부모를 찾는 모습을 보니까

나는 매우 놀랐다.

이렇게 인생을 101년이나 사시는 동안 산전수전을 다
겪으셨을 텐데도 시련을 두려워하시니, 시련이 두렵지 않다는
것은 매우 큰 거짓말이라고 생각한다. 물론 내 증조할아버지의
마지막 순간처럼, 때가 되어서 겪는 마지막 시련의 결말은 정해져
있다. 하지만 그 시련을 제외하고는, 그 끝에는 결국 반전된
분위기가 나올 수도 있다. 하지만, 그 반전을 위해서는, 시련이
왔을 때 어떤 행동을 취하느냐가 중요하다. 시련을 겪는 동안
취하는 행동 하나하나, 내린 의사결정 하나하나에 따라 그 반전이
언제 오는지, 심지어 오긴 오는지를 결정한다. 이번 시련을 통해
나는 시련이 왔을 때 취할 수 있는 좋은 태도가 무엇인지에 대한
힌트를 얻었다. 본래 갖고 있던 연약함이 조금씩 단단해지는 이
기분, 묘하고 이상하긴 하지만 뿌듯함도 있다.

한 번의 시련으로는 절대 시련이 왔을 때 취할 수 있는 좋은
선택지를 알 수 없다. 시련이 거듭 오면서 그 힌트를 하나하나
주워갈 수밖에 없다. 또 한 번 이렇게 강한 시련을 얻으니,
부수적인 효과로, 예전보다 타격에 의한 데미지도 줄었다. 이걸
한 번 겪으니까, 이보다 강도가 약한 문제들은 예전보다 쉽게
해결할 수 있다. 예전이었으면 시련이었을 것들이, 이젠 단순한
문제 수준으로밖에 안 보이는 것들도 있다.

여전히 시련은 무섭고, 미래도 사실 걱정스럽다. 이 시련이
내 마지막 시련이 아님도 알게 되어서 그런지, 미래가 어떻게
흘러갈지, 이것도 사실 좀 두렵다. 그렇지만, 힘든 세월도 결국
끝이 있다는 것을 알게 된 지금, 그 부담감은 조금 덜했다.
실제로, 한창 여러 사람과 네트워킹하던 2022년에는, 미래 얘기를
하면 꼭 한 번씩 들은 소리가, 내가 너무 미래에 대해 걱정을
과도하게 하고 있다는 소리였다. 그때 초면으로 만난 사람들이랑
대화를 딱 30분만 했을 때 들은 소리였다. 당시 나는 나름의
불안감도 있었다. 컴퓨터공학과를 재학 중이고, 취업도 잘 된다는
과이긴 하지만, 졸업 후 나아갈 업계 분위기랑 너무 맞지 않다는
것을 인지하고 있었고, 그래서 미래에 대한 걱정이 좀 있었다.
2022년은 내가 휴학 중이었고, 아직 1년의 대학 생활이 남은
상태였음에도, 당시에는 뭔가 당장 사지로 내몰리기 직전인
사람인 것처럼 미래에 대해 심히 불안해하고 있었다.

하지만, 2023년을 지내보면서, 2022년의 나는 걱정이 아예
안 될 순 없었다 쳐도, 너무 조급해하긴 했던 것 같다. 앞서
7장에서 말했듯이, 조급한 사람에겐 현실이 결코 좋게 다가오지도
않으며, 그러면 일이 절대 좋게 풀릴 수 없다. 그걸 알게 된 지금,
오히려 마음이 더 편해졌다. 미래에 대한 부담이 아예 사라진 건
아니지만, 적어도 뭔가 큰 짐 하나는 덜어낸 기분이다.

PHASE 10

새 비전과 함께한

새로운 인연

1. 새롭게 확장된 영역들

다사다난한 세월, 리부트를 준비하던 기간도 끝났다. 이제는
변화가 왔다. 과연 어떤 변화들일까?

우선, 이프렌즈 활동에도 변화가 왔다. 이프랜드 내에서의
변화라기보단, 이프랜드에서 만난 인연 덕분에 생긴 변화다.
여기서 중요한 두 인물이 있다. 바로, '핀님'과 '나야호'님이다.
핀님의 경우에는 내가 잘하는 영역을 보강해 주셨고, 나야호 님은
새로운 도전을 다시 하게끔 해주셨다.

핀님의 경우, 되게 테크닉적인 측면을 알려주셨다. 어떻게
숏폼을 만들어야 하는지를 알려주셨는데, 지금은 잠시 휴지기를

가진 내 신 컨텐츠로 레고와 음식을 콜라보한 "브릭소담"에서, 컨텐츠 용도로 제작될 사진은 어때야 하고, 거기에 더욱더 정교한 인스타그램 피드 관리법을 알려주셨다. 거기에 숏폼 제작 팁도 받았는데, 이것도 큰 도움이 되었다.

레고와 음식의 콜라보 컨텐츠를 제작했던 "브릭소담"용 사진들

사실 내 주된 컨텐츠는 사진이다. 그러나, 사실 나는 원래는 사진이 아닌, 영상 제작을 하던 사람이다. 레고에 입문한 계기도, 고등학교 2학년 때, 우연히 접한 레고로 만든 스톱모션 영상을

보고, 나도 한번 만들어보고 싶어서였다.

당시에 영상을 만들던 테크닉을 살려서 브릭소담에, 처음으로 릴스를 만들어봤다. 하지만 내가 하던 영상작업들은, 당시 만들던 영상도 최소 7분짜리 분량이었는데, 갑자기 30초 이내에 강렬한 영상을 만드는 것은 오히려 더 힘들었다. 결국 브릭소담 숏폼은 실패작이 되었고, 브릭소담도 다시, 원래대로 릴스보단 피드 사진에 집중하기로 했다.

브릭소담 로고

핀님의 지도하에 진행되었던 브릭소담은 개설 초기에는 내가 공격적으로 여러 음식점의 음식을 태그하면서 컨텐츠를 올려대다 보니, 여러 곳에서 스토리 공유 및 팔로우를 해주었다. 유명한 프랜차이즈인 "메가커피"가 스토리 공유를 해주었고, "승우아빠"라는 이름으로 활동하는 유명 스타셰프 목진화 셰프님이 운영하시는 "키친마이야르"에서도 스토리 공유를 해주셨고, 무엇보다 "알라보(Allavo)"라는 샐러드 전문 프랜차이즈 식당은 내가 거기서 찍은 컨텐츠를 올리자마자 아예 내 계정을 팔로우하고, 그 후에도 브릭소담에 올린 컨텐츠마다 댓글을 달아주셨다. 게다가 그 중 상당수는 알라보에서가 아닌, 타 식당들에서 촬영한 컨텐츠들이었음에도 말이다.

이렇게 승승장구하고 있던 브릭소담, 핀님의 도움 덕분에 진짜 초반에 돌풍을 일으키는 듯했으나, 안타깝게도 당시 졸업 및 기타 학업 관련 문제, 그리고 바로 다음 절에 이어서 다룰 레고인 단체전 준비 등으로 인하여 브릭소담용 컨텐츠를 꾸준히 만들어낼 수 없었다. 자연히 관심도 식어가고 있었다. 거기에, 브릭소담에 휴지기를 가지게 된 결정적인 계기가 최근에 생겼다. 바로, 새 플랫폼으로 진출하였기 때문이다.

이 플랫폼은 숏폼을 주로 올리는 플랫폼이다. 브릭소담에서는 실패한 숏폼 전략이지만, 이 플랫폼에서는 돌파구를 찾았다. 사실은 이 플랫폼에 진출하고, 여기서 인지도를 키우려고 하고 있다 보니, 이제는 진짜로 시간적인 여유가 더욱 없어져서, 하는 수 없이 브릭소담은 잠시 휴지기를 갖고 있다. 그리고 이렇게 진출한 다른 한 플랫폼은 바로 나야호 님이 추천해 주신 플랫폼이다. 맞다. 그 플랫폼은 앞서 잠깐 언급했던 그것, 바로 틱톡이다.

이전까지만 해도 솔직히 틱톡을 좋아하지 않았다. 여기저기서 들려온 불확실한 의혹 때문에 생긴, 보안 관련 문제다. 사실 지금도 불안감이 없잖아 있다. 그런데도 틱톡을 시작한 이유는, 사실 2년 전의 일로 돌아간다. 2년 전, 이프렌즈 3기에 합격한 그 시점이다. 같은 3기 동료 중에서 나야호님도 있었다. 거기서 나야호님은 내 레고 컨텐츠가 가진 퍼텐셜을 보고, 컨텐츠로 밀라고 거듭 얘기했다. 그리고 그때만 하더라도, 이프랜드는 2년 안에 유튜브랑 맞먹을 수 있을 정도로 유망해 보였다. 갑자기 이프랜드에 대해 좋은 얘기만 하다가 이게 무슨 소리인가 싶을 것이다. 물론 나는 이프랜드가 아직도 좋지만, 뭐든지 장점만 가진 것은 없다. 여기서부터의 내용은 이프랜드에게 그래도 좀 아쉽다고 생각되는 점을 다룰 것이다. 분명히 말하지만, 나는 아직도 이프랜드에 애정이 매우 강하게 있다. 그로 인해 얻은 것은 분명히 많으니까.

아무튼 3기 시작 시절, 이프랜드는 진짜 전 세계 컨텐츠계의 게임 체인저가 될 수 있을 것 같았다. 그 시작과 내가 함께할 수 있었다는 점에 대해서도 큰 자부심을 느꼈다. 당시에는 유저 수가 그렇게 많지 않았다. 아무래도 그때 이프랜드가 런칭되고 4개월밖에 지나지 않은 순간이었으니, 그건 그럴 수 있다고 생각한다. 심지어 메타버스라는 개념은 지금도 대중적으론 매우 생소한데, 그때는 더욱 생소했기에 이프랜드에서 활동하는 유저 수는 적을 수밖에 없었다. 그래서 이프렌즈 한 명 한 명의 컨텐츠는 더욱 특별했다. 주제가 겹치는 사람이 거의 없었으니까.

거기에 나는 타 이프렌즈분들과는 매우 다른 소재가 있었다. 2년이 지난 지금도, 내 컨텐츠와 겹치는 이프렌즈는 아직도 나오지 않았다. 게다가, 모국어 수준으로 구사할 수 있는 외국어가 있다는 점도 특별 포인트였다. 3기 시작할 무렵에는 과장을 좀

보태자면, 나보다 영어를 잘하는 이프렌즈는 없었다. 스페인어도 그 시절에 비해 지금이 더 잘하지만, 당시 이프렌즈 중에 스페인어로 제대로 된 문장 한마디라도 할 줄 아는 사람은 내가 유일했다. 이 상황 속에선 자연스럽게 내 특별함과 잠재력은 돋보일 수밖에 없다. 그리고 그걸 가장 먼저 캐치하신 분 중 한 분이 나야호 님이다. 2년 전, 나야호님은 나는 컨텐츠로 성공할 능력과 잠재력이 있다고 하셨다. 그리고 유튜브 컨텐츠를 하라고 그때 되게 거듭 강조했다.

그리고 그 무렵에 나는 유튜브 컨텐츠로 할 만한 아이디어도 짰지만, 실제 제작은 할 수 없었다. 내가 가지지 못한 능력이 필요했기 때문이다. 내가 생각한 아이디어는, 그간 찍은 사진들을 가지고 스토리를 짜서 그 흐름에 맞게 순서대로 띄우고, 거기에 실감 나는 음성을 입혀서 약간 듣는 코믹스 느낌으로 하는 것이었다.

모든 것은 완벽해 보였지만, 아주 큰 걸림돌이 있었다. 바로, 다양한 음성 성우진이 필요했었다. 그것도 남녀노소 할 것 없이, 성별 및 연령대별로 다양하게 필요했다. 그리고 나는 솔직히 연기는 진짜 못 한다. 그냥, 그쪽으로는 나는 재능이 없는 것 같다. 그래서 하는 수 없이 TTS에 의존해야 했는데, 당시 나온 TTS들은 아무리 찾아봐도 감정선 등의 표현이 안 되어서, TTS로 뽑은 대사를 입혀도 영상의 흥미가 영 없었다. 그래서 이걸

어떻게 해결할 수 있는가에 대한 접점을 2년 동안이나 찾고
있었다. 그 2년 동안 이프랜드 내 활동은 진짜 열심히 했지만,
알다시피 코로나19 팬데믹이 엔데믹이 되고, 기나긴 크립토 겨울
때문에 전 세계적으로 확 끓었던 메타버스의 열기가 2년 전에
비해 식었다. 자연스레 이프랜드의 분위기 및 성장세도 많이
꺾였다.

그러던 와중에, 어느 날, 그것도 꽤 최근에, 나야호 님이
나한테 전화를 걸었다. 2년 전, 이프랜드 초기에 나야호 님은
나에게 컨텐츠 잠재력이 있다고 했었다. 그러나, 2년 동안 나는
이프랜드만 하느라 그것을 피워내지 못했고, 분명 그때부터
유튜브를 했으면 지금 나의 위상은 달라졌을 것이라고 말씀하셨다.
여기에 주마등처럼 여러 사건이 지나갔다. 2022, 2023 코리아
브릭 파티 중계 같은 좋은 사건들도 분명히 있었지만, 2022 브릭
코리아 컨벤션 때 이프랜드 현장 중계를 거절당했던 그때도
지나갔다. 2022 브릭 코리아 컨벤션 때 이프랜드 중계를
거절당했을 때, 거절 사유를 보고 마음이 편하진 않았다. 뭔가
이프랜드 및 내 이프렌즈 활동들이 다소 무시당하는 느낌이
들었다. 그러나, 나야호 님과의 통화를 통해, 이제는 왜 브릭
코리아 컨벤션 사무국이 그런 말을 했는지가 이해되었다.

긴 통화 끝에, 틱톡을 해보라는 권유를 받았다. 글자 그대로는
단순히 틱톡 해봐라 이런 말이었지만, 뭔가 그 속에 담긴 것

같았던 뜻은, 나야호 님이 한 번 더 나한테 조언을 한 것으로 느껴졌다. 내 잠재력을 한 번 더 보고, 마지막으로 조언하신 것으로 나는 받아들였다. 마침 운도 좋았다. 2년 전에는 없던 것이 생겼다. 바로, 한층 진보된 AI 툴들이다. 2년 전에 비해 어느 정도로 진보했느냐면, 이제 나는 더 이상 내가 기획한 컨텐츠를 만들어내기 위해 실제 성우가 필요하지 않다. 목소리 학습만 시킬 수 있다면, 나는 누구의 도움 및 협업 없이, 혼자서 2년간 묵었던 아이디어를 마음껏 발산해 볼 수 있었다. 그래서 틱톡을 시작하게 되었다.

게다가 지금은 내가 틱톡 에이전시에도 컨택을 해서, 틱톡 공인 에이전시에 소속도 되어있다. 그리고 나는 틱톡도 어느 정도 잘 되면, 곧 유튜브 쇼츠에도 도전하고, 그리고 인스타그램 릴스에도 재도전할 것이다.

개인 컨텐츠적인 측면에서는 이렇게 확장되었다, 그리고 다른 측면인 레고계에서도, 아니 이젠 키덜트계에서도 확장할 기회가 생겼다. 분명 기존 레고 사진가들과는 인연이 끊어졌지만, 다른 레고 사진가들을 만났고, 이제는 레고가 아닌, 여러 키덜트 컨텐츠 크리에이터들과 같이 한 그룹을 만들어가고 있다. 이제, 나는 다른 큰 그림을 그리기 시작했다. 그리고 이번에는 지난번의 실수를 본받아서 더욱 철저하게, 인내심을 가지면서, 비록 속도는 더 느리지만, 더 꼼꼼하고 세심하게 진행하고 있다. 내가 그리는 그림의 완성본은, 키덜트 컨텐츠 크리에이터들이 중심이 되는 DAO를 만드는 것이다. 실제로 지속적인 전시를 할 팀을 만들어서, 키덜트 컨텐츠의 잠재력의 끝판왕을 보이게 하려는 것이다. 그리고 그 시작이 되어줄 전시회가 바로 "브릭에 빠지다" 전시회였다.

이 브릭에 빠지다 전시회도, 맨 시작점으로 가면, 레고계에서 그나마 아직은 교류를 계속하고 있던 분의 제안으로 시작했다. 나한테 NFT전 말고, 진짜 사진전을 할 생각이 있냐고 나한테 제안했고, 그걸 수락하면서 시작되었다. 거기에 또 다른 레고인 한 명, 이렇게 세 명이 초기 멤버였다. 갤러리 섭외도 일단은 되었지만, 갤러리가 좀 커서 작품 수를 많이 걸어달라고 했다. 그래서 세 명으로는 도저히 채울 수가 없어서, 공개모집을 통해 두 명을 발탁했다. 그렇게 다섯 명으로 시작했지만, 다섯 명 중 한 명이 결국 개인 사정으로 하차하게 되면서 4인 작가 체제로 진행했다.

전시회 준비 및 진행 관련해서 필요한 초석 작업은 내가 거의 다 담당했다. 더군다나 나에게는 이 브릭에 빠지다 전시회를 성공시켜야 할 필연적인 이유가 있었다. 이 전시회 시작은 2023년 11월 초부터였는데, 불과 10개월 전, 아무것도 모르고 그냥 해보려다가 우왕좌왕하기만 하고, 단체전 하나를 엎은 그 기억이 있기 때문이다. 그 후 여러 전시회에 참여하면서 더 배우고,

심기일전해서 다시 진행하는 전시회였기 때문이다. 다행인 것은, 2023년 한 해 동안 나는 여러 전시회를 참여했고, 특히 7월에 청담동 갤러리에서 진행한 한·중·일 AI 르네상스 전시회가 특히 도움이 되었다. 내가 그 전시회에서 설치, 철거, 상주 등 진짜 도움을 줄 수 있던 방면에서 최대한으로 열심히 일했다. 나를 무시하던 갤러리 관장님한테 싫은 소리를 마구 듣는 것을 참아가면서까지도.

당시 청담동에서 또 그 외 여러 전시회에 참여 및 운영에 어떻게도 참여해 보려고 했던 이유는 여러 가지이지만, 2023년 1월에 깨진 야심 찼던 기획, 그 실패를 한 경험이 가장 큰 비중을 차지했다. 그 실패를 언젠간 만회해 보고 싶었기 때문이다. 그래서 더욱 철저히 배우고, 지켜보고, 느끼려고 했다. 그리고 2023년 11월, 브릭에 빠지다 전시회가 드디어 시작되었다. 오래 기다렸다. 드디어, 앞서 거듭 언급했던 전시회 "브릭에 빠지다"에 관련된 이야기를, 바로 다음 절에 이어서 하겠다.

여기서 한 가지 스포를 하자면, 결론적으론 이 브릭에 빠지다 전시회는 성공적이었다. 게다가 하다 보니 예정에 없던 파트 2까지 하게 되었다. 그 내용까지, 다음 절에서 한 번 다뤄보겠다.

2. 브릭에 빠지다 전시회

앞선 절의 끝부분에, 포스터 2개의 이미지를 첨부했다. 그렇다. 결론부터 말하자면, 이 전시회는 매우 성공적이었다. 미리 말하지만, 예정에 없던 파트 2도, 갤러리 측에서 제안하길래 하게 되었다! 이 대목만 봐도, 이 전시회가 그래도 성공적이었다는 것을, 알 수 있을 것이다.

그럼, 이 성공적인 전시회는 어떻게 진행되었을까? 준비 과정과 관련된 이야기는 일단 짧게만 하겠다. 우선 갤러리 섭외는 또 MeendArt 프로젝트 덕분에 가능했다. 이전에 MeendArt 프로젝트에서 전시했었던 카페형 갤러리인 "샤갈의 마을" 전시 관련 담당자분의 연락처를 얻어서 계약했다. 그 전시회에는 나도

참여했었기에, 해당 장소를 인지는 하고 있었고, 그 갤러리의
구조도 이미 알고 있었다. 샤갈의 마을 카페를 간략하게
소개하자면, 카페형 갤러리이고, 되게 널찍하다. 복층 구조인데,
1층에는 카페가 있고, 그 아래 지하에 전시장이 있다. 모든 전시는
그 지하에서 진행된다. 한 번 가보면, 진짜 웬만한 하이엔드
갤러리보다도 내부 공간이 널찍하다.

이전 절에서 삽입된 포스터에서 보면 알겠지만, 4인의 레고
작가 라인업은 이렇게 된다. 우선 나 레짓브릭스를 비롯한, 파고다
작가님, 순살치킨 작가님, 그리고 홍일점 이채영 작가님까지,
이렇게 넷이다.

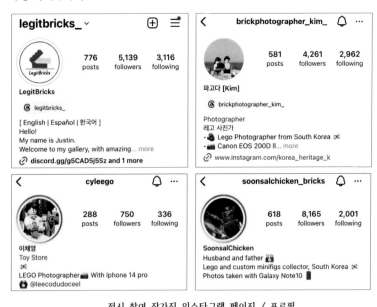

전시 참여 작가진 인스타그램 페이지 / 프로필

사실 계약 과정은 생각보다 다사다난했다. 아무래도 샤갈의 마을 대표님이 카리스마가 다소 강하신 분이시다 보니, 사회생활 경험 없는 나로서는 사실 어떻게 다가가야 할지, 조금 어렵긴 했다. 그래서 그분이랑 직접 만나서 대화할 때, 사실 긴장되긴 했었다.

그 분위기가 풀어진 것은, 바로 진행 준비 도중에 샤갈의 마을 갤러리의 마케팅 및 홍보 업무를 새로 담당하게 되신 ㈜권더풀아트테인먼트의 권성구 대표님이 들어와서였다. 확실히 권성구 대표님 덕분에 이 브릭에 빠지다 전시회가 성공할 수 있었다고 해도 과언이 아니다. 대부분 학생 신분이었던 우리 작가진들을 배려하시는 모습부터, 우리가 편하게 전시할 수 있도록 다방면으로 노력하시는 것이 보였다.

그럼, 이제 실제 전시회 진행은 어떻게 되었는지를 이야기해 보겠다. 계약을 마치고 준비를 이리저리 마무리하고, 설치도 다 했다. 권성구 대표님은 전시회를 기획 및 준비하는 순간마다 매번 큰 도움이 되었지만, 그중 제일이었던 순간이 설치할 때였다. 사실 우리 작가진 그 누구도 전시회 경험이 없었다. 그나마 나는 NFT 전시회를 해보고, 청담동에도 작품을 걸고 팔아도 봤지만, 그런 전시회랑 이번 전시회는 성격 자체가 달랐다. 지금까지 내가 겪은 전시회는, 참여 인원이 최소 20명은 되었고, 각 참여자가 한 점 또는 두 점 정도 내는 것이 다였다. 그래서 전시회를 하긴 하였지만, 1인당 최소 15점 이상씩 전시한 이 브릭에 빠지다 전시회는 그 방식대로 접근하면 안 되는 전시회였다.

이전에 내가 해본 전시회들은 사실 본인이 제일 잘 만들기만 하면 되는 것이었다. 일단 사공이 많다 보니, 전시회를 통해 하나의 공통된 서사를 일궈내는 것은 사실상 불가능했다. 그래서 진짜 포괄적인 주제만 주어졌다. 그걸 해석하는 것은 개개인의 작가마다 다르니, 오히려 주변에 뭐가 어떻게 걸릴지 고려할 필요 없이 그냥 어쩌면 편하게 고르고 제작할 수 있었다. 그래서 이번에도 나는 그런 접근으로, 저작권법에 걸리지 않는 선에서, 그냥 사진들의 퀄리티만 보고 골랐다. 나머지 3인의 작가분들도 단순하게 제일 잘 만든 것들로만 골랐다고 생각한다.

어쩌면 경험이 없음에서 나온 미숙함이었지만, 권성구 대표님은 이 와중에 나온 사진들을 보고, 작가 4인마다 출품한 작품들로 어떻게든 스토리와 서사를 만드셨다는 것이다! 그것도 꽤 괜찮은 이야기의 흐름으로 말이다.

예를 들어, 파고다 작가님은 야외 사진을 주로 찍으시는 분이시다 보니, 봄, 여름, 가을, 겨울, 이렇게 계절의 흐름 따라 배치하는 스토리를 만들어내시고, 누구나 다 아는 유명한 캐릭터를 오마주한 레고 커스텀 피규어(레고 사에서 정식 발매한 것은 아니지만, 어떤 업체들은 정품 레고 브릭 위에 인쇄나 도색, 심지어 조형을 따로 한 것을 입혀서 레고 사에서 정식으로는 발매되지 않은 캐릭터를 만들어내기도 한다.)들을 가지고 작품을 만드시는 순살치킨 작가님의 경우, 캐릭터별로 묶어서 스토리를 만들었다. 일상과 레고의 경계를 주로 표현하시는 이채영 작가님은 일상에서 레고로, 실사와 브릭 감성의 비중이 점점 변해가는 흐름을 토대로 작품을 배치하셨다. 이쯤 되면 우리는 거의 천군만마를 얻은 셈이다.

브릭에 빠지다 전시회 메인 현수막

내 경우, 사실 다른 작가님들에 비하면 다소 복잡한 스토리로 엮이긴 하였으나, 스토리의 빌드업 과정을 보면 오히려 좋았다. 나는 진짜 다양한 주제와 느낌으로 출품했다. 우주, 동물, 전 세계의 문화, 스포츠, 그리고 괴수들까지. 언뜻 보면 어떻게 스토리를 이어갈지, 너무 랜덤해 보였다. 그러나 이 랜덤해 보이는 것들도 하나의 흐름으로 이어갔다. 다윈의 진화론이 여기서 한몫했다.

갑자기 웬 진화론? 싶을 것이다. 진화론에는 대진화와 소진화가 있는데, 대진화는 우리가 학창 시절 과학 시간에 배운, 옛날 저 까마득한 과거에, 물속에 있던 무기물들이 어쩌다 분자결합을 하면서 단순한 유기물이 되고, 그 유기물들이 점점 진화하면서 지금처럼 다양한 동물의 종이 되었다는 그 이야기이다. 반면, 소진화는 지역별로 차이가 약간 생기도록 종의 형태나 능력이 약간 바뀌는 것을 말한다. 예를 들자면, 어떤 미지의 유인원 공통 조상에서 인류와 침팬지가 나뉘게 된 것은 대진화의 사례이고, 같은 호모 사피엔스, 즉 다 같은 사람이지만 백인, 흑인, 아시안, 히스패닉 등으로 나뉘게 된 것은 소진화의 사례이다. 여담이지만, 진화론과 대립하는 창조론에서도 소진화 이론은 인정한다. 다만 대진화를 인정하지 않는다.

아무튼, 이 진화론도 되게 깊숙한 뿌리로 가면, 우주의 빅뱅 이론과의 연결점을 찾을 수 있다. 결국 우주에서 현재 지구의 위치 혹은 그 근처에 있던, 지금은 사라진 한 초신성의 폭발로 생긴 물질들이 지구 및 모든 태양계 행성을 구성했다. 그러면 시간적 순서상, 빅뱅이 터지고 한참 후, 근처에 있던 성운들이 뭉쳐져서 태양이 되고, 그와 거의 비슷한 시각에 한 "전설의" 초신성이 폭발해서 그 잔해의 물질들 덕분에 지구가 생겼다. 그리고 그 후, 지구라는 곳에서 무기물이 생기고, 유기물들이 생기고, 그 유기물들이 진화하면서 지금처럼 다양해진 지구가 된 것으로 흘러갈 것이다. 바꿔 말하면, 모든 것의 시작은 우주다.

그래서, 내 스토리는 이렇게 이어진다. 우선, 모든 것의 시작인 우주로 이야기를 시작해서, 대진화가 시작되는 것을 형상화한 동물, 이른바 짐승들을 배치하고, 시간이 더 흘러서 인류가 지구 곳곳에서 살아가면서 생긴 여러 문화를 거쳐서, 그 인류가 즐거움을 추구하면서 생겨난 스포츠, 그리고 타 짐승을 초월한 인류만의 고유한 상상력과 인지 능력에서 나온 가상의 괴수들까지 표현하고 그렇게 끝이 난다. 이 방대한 이야기를 단 17장의 사진으로 표현을 해낸 것이다. 그리고 이런 서사의 필요성은 향후 전시회들에도 엄청난 참고 자료로 쓸 수 있다는 점에, 단순하게 현장에서 스토리가 완성되었다는 것, 그 이상의 의미를 나한테 가져다줬다. 앞으로 할 전시회 중 내 개인전이나 10인 이하의 소규모 그룹전 등에서 어떻게 작품을 고르는 게 좋은지를 알게 되었다.

브릭에 빠지다 전시회 속 내 출품작

내 작품들의 흐름을 설명해주는 팻말

또한, 이 브릭에 빠지다 전시회만의 특별한 점도 있다.

바로, 메타버스를 활용했다는 점인데, 가상공간이지만 작품 전시에 특화된 메타버스 플랫폼 '스페이셜'을 활용했다는 것이다. 따라서 실제 갤러리로 오지 않아도 전시회를 볼 수 있도록 스페이셜이라는 플랫폼에도 똑같이 구축해 놓았다.

메타버스 플랫폼 "스페이셜"로 옮겨둔 브릭에
빠지다 전시회의 모습

정말 훌륭한 숨은 보석 같은 작가분들과 같이할 수 있어서 뜻깊었다. 이 브릭에 빠지다 전시회는 이제 이런 숨은 재능 있는 사람들이 많다는 것을 일반 대중에 알린 첫 시작이 아닐까 싶다.

순살치킨 작가님 작품들

파고다 작가님 작품들

이채영 작가님 작품들

　　브릭에 빠지다 전시회는 워낙 소재가 그간 전시회들과
비교하면 독보적일 정도로 독특하고 특별하다는 것은, 우리
작가진들이나, 갤러리 측이나 다 인지하고 있었다. 원래 한 달간
전시하기로 계약했는데, 계약이 기간이 마무리될 때쯤 파격

제안이 들어왔다. 바로, 전시회 기간을 연장하자는 제안을 갤러리 측에서 했다. 물론 바로 이어서는 아니고, 사이에 짧게 계약된 전시가 있는데, 그것이 끝나면 파트 2로 하자고 제안했다. 그리고 그것을 수락했다.

파트 2는 이전에 비해 보완할 것들을 보완해서 진행했다. 포스터도 교체하고, 작품 라인업도 일부 교체하고, 무엇보다 지인 초대 파티도 기획했다. 4인의 작가진들은 파티에 지인들을 꽤 많이 불렀다. 나 같은 경우, 동료 이프렌즈 분들을 위주로 불렀다. 전시장에 흔쾌히 와주신 "영업의신조이"님과 본인의 지인들까지 데려온 "민루찌"님께 특히 고맙게 생각한다.

지인 초대 파티도 성공적으로 진행되었다. 심지어 그 순간에는 작품도 팔렸다. 이 파티의 중요성을 나는 알고 있었다. 2023년 7월, 청담 갤러리에서 내 작품이 팔린 순간도 결국 갤러리 관장님이 부른 VIP분들 중 한 분이 사 가셨으니, 나는 작품을 팔려면 그것이 사실상 필수적임을 알고 있었다. 그러나, 일단 파티 진행하려면 추가적인 금액이 들어가는데, 이미 이전 전시회 준비하면서 모두가 다 적잖은 돈을 투자해서, 좀 머뭇거리던 상황이었다.

여기서 권성구 대표님이 우리의 편의를 봐가주시면서까지 하시면서 결국 설득에 성공했다. 그래서 파티를 진행하게 되었고,

결론은 하길 잘했다는 생각이 들었다. 정말 모든 어려움이 생길 때마다 권성구 대표님이 해결해 주시는 일이 다시 한번 일어났다.

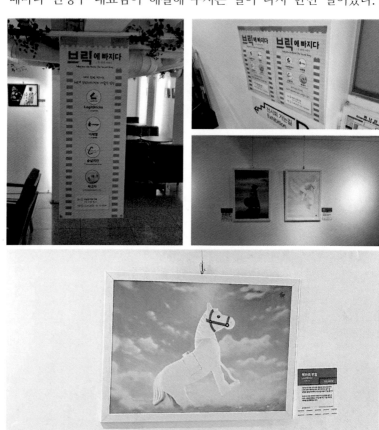

파트 2를 위해 교체한 현수막과 포스터.
그리고 내가 교체한 라인업으로 추가해서 올린 작품 3점이다.

나를 제외한 나머지 3인 작가진들에게는 아주 뜻깊은 경험으로 남았다. 그리고 나한테는 청담 갤러리 이후로 또 한 번

작품을 팔아본 경험이었다. 여기서 브릭에 빠지다 전시회의
이야기는 멈추지 않을 것이다. 차기 전시회도 이미 구성을 어느
정도 해뒀는데, 이 브릭에 빠지다 멤버들에게서 더 확장하기로
했다. 그리고 레고 사진가뿐만이 아닌, 타 장난감 컨텐츠를 만드는
사람들도 모으기로 했고, 인스타에서 친해진 넨도로이드라는
장난가릏로 사진을 찍으시는 몇 분을 영입해서, 하나의 큰 키덜트
컨텐츠를 기반으로, 열정적인 작가 활동을 할 분들을 모은 하나의
DAO를 꾸리고 있다.

거기에 나는 NFT 관련해서 여러 가지 일 및 프로젝트는
진행하는 사업체 "HYPE Lab"의 서포터즈가 되었고, 그와 동시에
HYPE Lab의 아티스트 그룹 "HYPE Boy" 소속 아티스트가
되었다. 그 덕분에 HYPE Lab에서 운영하는 다른 카페형 갤러리
"Café HYPE"에서 2024년 8월 말에서 9월 초쯤에, 이 확장된
멤버들로 차기 전시회를 준비하려고 하고 있다. 아무래도 브릭에
빠지다 전시회를 할 당시에는 모두가 처음이라서 모든 방면에서
매우 서툴렀다. 그러다 보니 진행 및 준비 과정에서 크고 작은
실수를 많이 했을 텐데, 그때 진행할 차기 전시회에서는 이전
방식에서 보완할 점들을 더 철저하게 정비해서, 한층 더
업그레이드된 전시회가 되도록 준비할 것이다.

브릭에 빠지다, 그리고 이 확장된 키덜트 DAO인 Toyground
DAO, 이것들을 줄줄이 성공시키면서 내가 뼈저리게 느낀 점이

있다면, 내 주변 사람들, 특히 인맥의 중요성이다. 이 갤러리도 MeendArt 아니었으면 알기가 힘들었을 것이고, 청담 갤러리 및 기타 참여한 여러 전시회에서 배워간 것들이 있기에 전시회라는 것의 메커니즘을 어느 정도 이해하게 되었다. 그러니까 2023년 1월 때와 다르게, 빠릿빠릿하고 수월하게 진행할 수 있었다. 이 브릭에 빠지다 전시회는, 내 개인 역량을 한껏 성장시켜 준 것에서 한 걸음 더 나아가, 인맥의 중요성을 제대로 깨닫는 계기를 주기도 했다. 다시 한번, 브릭에 빠지다 전시회가 성공할 수 있도록 조금이라도 도와주신 모든 분께 이 자리를 빌려서 감사하다는 말을 전하고 싶다.

3. 칠전팔기의 아이콘을 향해서!

브릭에 빠지다 전시회로, 진짜 화려한 커리어 하나가 더 생겼다. 다신 일어설 수 없었을 것 같았던 때를 지나, 생각보다 빠른 시간에 다시 일어섰다. 그리고 나를 아직은 좋게 생각하는 사람들이 있다는 것도 다시 한번 확인했다.

이쯤 되니 이런 생각이 들었다. 진짜 인생은 마치 롤러코스터처럼 오르락내리락하는 것이구나. 진부한 말이다. 다만 여기서 이런 의문이 들었다. 그럼, 이 롤러코스터는 무슨 에너지원으로 동력을 얻는가? 이 질문에 대해 고찰을 해봤다. 물론, 내 고찰이 정답이라고는 말할 순 없다. 다만 내가 느낀 바로는, 인생의 롤러코스터는 이른바 '하이브리드' 롤러코스터이다.

하나는 나와 내 의지라는 연료, 나머지 하나는 주변 사람이라는 연료. 두 가지 연료가 모두 충분해야 이 롤러코스터는 올라간다. 반면 둘 중 하나라도 없으면 이 롤러코스터는 한도 끝도 없이 떨어진다. 재미있는 것은, 절대 그 두 연료 중 하나만 차고, 다른 하나는 완전히 비어있을 수는 없다. 신기하게도, 두 연료 중 하나만이라도 고갈되면 나머지 하나도 빠르게 떨어진다.

이 롤러코스터의 또 한 가지 재미있는 타입. 이 롤러코스터는 요술 롤러코스터라고 봐도 무방하다. 그 이유는, 이 롤러코스터는 미리 정해진 코스로 가지 않는다. 역으로, 이 롤러코스터가 달리는 트랙이 이 롤러코스터가 이동하는 방향으로, 마치 마법처럼 실시간으로 생기게 된다. 그래서 엄밀히 말하면, 나는 나한테 한 시간 후에 무슨 일이 일어나게 될지, 확실하게 알 수는 없다. 의 인생의 흐름은 마치 모든 것을 공식만 대입해서 계산하면 정해진 값이 나오는 수학이나 물리학처럼 되지 않는다. 분명 이렇게 될 것 같았는데 저렇게 되어서 우왕좌왕한 일, 나도 수시로 겪었고, 이 책을 읽는 독자들도 살면서 여러 차례 겪었을 것이다.

그러면, 최소한 내가 몰고 있는 이 요술 롤러코스터가 올라갈 수 있는 확률을 어떻게 높일 수 있는가? 우선 내 의지로, 이걸 올려놓겠다는 의지가 필요하다. 거기에, 내 뜻에 동참하거나, 최소한 응원해 주는 사람이 필요하다. 그런 사람들은 많으면 많을수록 좋지만, 수에는 연연할 필요는 없다. 진정으로 나를 지지해 주는 사람이 단 한 명이라도 있으면, 이 롤러코스터는 올라갈 수 있다. 물론 그런 사람이 많으면 내가 몰고 있는 롤러코스터는 더 빨리 올라갈 것이다. 그러나 중요한 것은, 단 한 명이라도 내 롤러코스터를 확실히 밀어줄 사람만 있어 주면 느리게 올라가는 대신, 떨어지는 순간이 올 확률을 내려갈 것이다. 설령 떨어지는 순간이 오더라도, 떨어지는 속도가 남들보다 천천히 떨어질 것이다. 그러면 재정비할 시간이 자동으로 벌어진 것이다.

칠전팔기, 사실 정확히 말하면 n 전 n+1기, 이것의 핵심은 내가 n번 넘어져도 꺾이지 않고 n+1번 일어날 의지와 열망이 있는가가 일차적인 필요조건이다. 거기에, n+1번째로 일어나고 있을 때 나를 다시 한번 응원할 사람이 있는가이다. 정말 내가 n번째로 무너질 때 모두가 나를 외면하는 듯한 느낌이 들 것이다. 살면서 내가 n번 넘어졌다면 그런 감정은 나는 n번을 겪게 된 것이다. 그때마다 느끼는 공통된 감정. n+1번째로 일어날 때, 과연 나를 도와줄 사람이 조금이라도 있을까? 싶은 그 의문. 당연히 그런 의문을 가질 수 있다. 그 의문이 너무 강하면 결국 그 의문에서 두려움이 파생되어서 n+1번째로 일어나는 것을 포기한 사람들의 사례도 있다. 그런 사례는 들을 때마다 너무 안타깝다.

하지만 여기서 간과하지 말아야 할 점이 있다. 지금 이 책을 읽고 있는 당신이라면, n번이나 무너졌다고 할 때, 적어도 그 n

값이 1은 아닐 것으로 생각한다. 1보다 약간 큰 2, 3 정도도 아닌, 아무리 낮게 잡아도 50회 이상으로 쓰러져봤을 것이라고 나는 짐작한다. 그러면, 그 50회, 혹은 그 이상의 횟수 동안 쓰러지면서, 왜 무너졌을 때의 시점, 상황, 감정만 학습하고, 정작 51번 이상으로 일어나려고 했을 때의 시점과 상황은 학습하지 못하는가? 수학적으로 통계를 낼 때도, 일반적으로 다섯 번의 사례만 모여도 통계학적으로 신뢰도 있게 통계적 추정값을 산출할 만한 충분한 크기의 모집단으로 본다. 즉, 다섯 번의 경우만 모여도 통계학적으로 유의미한 결과를 얻을 수 있는데, 51번 이상 일어나본 경험이면 충분히 어떨 것이라고 결과를 내릴 수 있다. 그리고 51번 이상 일어나려고 했을 때마다 누군가는 당신을 열렬히 지지했을 것이다.

그럼 무슨 말이 더 필요한가? 제아무리 누군가가 넘어져도, 본인이 일어나고자 하는 강력한 의지를 보이면, 누군가는 그 의지에 감동해서라도 지지하게 된다. 앞서 나는 이 독특한 하이브리드 롤러코스터의 두 가지 연료 중 하나만 채워져 있고 나머지는 비어있는 경우는 불가하다고 하면서, 하나가 고갈되었으면 나머지 하나도 곧 고갈된다고 했다. 하지만, 내가 다시 일어서려는 의지로 한 연료를 다시 채우려고 한다면, 그것을 본 주변의 누군가가 자동으로 나머지 한 연료를 채워보려고 할 것이다. 최선의 경우는, 그 누군가를 본 다른 사람들이 계속 모이면서, 더 빠르게 연료가 채워지고 그에 따라 다시 이 롤러코스터가 솟아오르는 것일 테다.

그리고 설령 내가 몰고 있는 이 롤러코스터가 다시 떨어진다고 하더라도, 낙심할 필요 없다. 내 롤러코스터가 지나온 모양을 수학적인 그래프로 나타내보면, 분명 엄청난 굴곡이 있을 것이다. 그리고 각 굴곡의 마루(꼭대기)나 골(바닥)들을 보면, 사실 그 높이가 다 똑같진 않을 것이다.

이 그래프의 예로 들어보겠다. 이른바 말하는 '인생 그래프'의 예시를 하나 가지고 와보겠다. 이 그래프는 딱히 누군가의 사례는 아니고, 가상으로 내가 그려본 것이다.

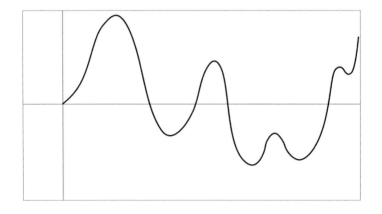

저기서 미적분을 배운 사람이면 알겠지만, 저런 그래프는 "극값"이라는 것이 존재한다. 극값은 극댓값과 극솟값이

존재하는데, 극댓값은 쉽게 말해 구조상 위로 볼록한 그 지점의 정점이 되는 점이고, 극솟값은 반대로 아래로 볼록한 그 지점의 정점이 되는 점이다. 쉽게 말하자면, 극댓값은 위로 볼록했을 때의 꼭짓점이고, 극솟값은 아래로 볼록했을 때의 꼭짓점이다. 여기서 중요한 점은, 저기서 꼭 위로 볼록하다고 제일 큰 값도 아니고, 아래로 볼록하다고 꼭 제일 작은 값도 아니다. 저 그래프만 봐도, 오른쪽 아래에는 위로 볼록한 극댓값이지만 x 축(가로축)보다 밑에 있어서 불행한 때고, 심지어 아래로 볼록한 극솟값이지만 어쨌거나 x 축보단 위쪽에 있으니 행복한 경우일 때다. 단지 양옆 두 사건보다 정도의 차이가 약할 뿐이다.

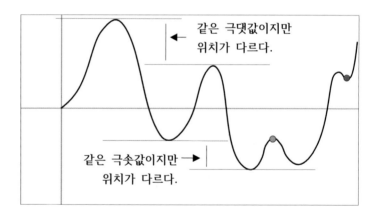

그래프를 분석하면, 이런 식의 해석도 된다. 일단 그래프 오른쪽의 녹색 점은 극댓값이지만 x 축보다 아래에 있어서 마이너스 값을 가지고, 보라색 점은 극솟값임에도 x 축보다 위에

있어서 플러스 값을 가진 것이다. 즉. 마냥 내려가는 것 같다고 해도, 그 자체만으로는 객관적으로는 아직 괜찮은 상태일 수도 있다. 이것을 명심하는 것이 칠전팔기, 그리고 그걸 넘어서 n 전 n+1기를 할 에너지를 다시 발산하는 데에 큰 도움이 될 것이다.

내 경우에도, 격변의 3개월은 있었지만, 그걸 딛고 일어설 수 있던 비결도 결국 아직 나를 응원해 주는 사람들이었다. 대다수의 이프렌즈 분들, NFT 작가분들, 특히 그중에서 한국 AI 작가협회 협회원들과 MeendArt 프로젝트 회원분들이 제일 큰 도움을 주었다. 거기에 브릭에 빠지다 전시회가 성공하면서 내 롤러코스터는 다시 위로 오를 수 있는 탄력도 얻게 되었다.

내가 하고 싶은 말은, 넘어지고 쓰려졌다고 절대 두려운 것이 아니고, 부끄러운 것도 아니다. 나도 격변의 3개월보다 훨씬 이전에는, 7년 동안 암울하게 지낸 중고등학교 시절도 있었다. 나뿐만이 아니라 누구나 다 살면서 넘어지고 쓰러지는데, 만약 그것이 부끄러운 일이라면 전 인류 모두가 다 형편없는 존재라고 말하는 것밖에 더 되겠는가. 진짜 부끄러운 것은, 쓰러지는 것이 아니다. 진짜 부끄러운 것은, 쓰러져가는 내 롤러코스터를 어떻게든 올려보려는 시도 하나 하지 않고, 그대로 끝없는 나락에 떨어지다가, 그 나락 끝에 어느 순간 마주할 지옥 불과 같은 불덩이로 빠지는 것이다. 그때 되면 진짜 회생이 불가능할 것이다.

그러니, 현명한 사람들은 절대 거기까지 가지 않게 하려고 어떻게든 움직일 것이다. 그러나 명심할 것은, 제아무리 현명한 사람이라도, 단 한 번도 쓰러지거나 넘어지지 않을 사람은 아니라는 것이다. 단지, 현명한 천재들과 일반 사람들의 차이는, 그런 사람들은 타고 날 때부터 자기 롤러코스터가 아래로 떨어지고 있을 때의 적절한 조치를 조금 더 빨리 찾아서 취할 수 있다는 것이다. 만약 나는 천재가 아니라는 생각이 든다 한들, 그렇다고 내가 그것을 찾을 능력이 아예 없는 것도 아니다.

그러므로, 만약 내 롤러코스터가 나락을 향해 달리고 있다는 생각이 든다면, 패닉할 시간도 쪼개서 이 상황을 반전시킬 방법을 찾아볼 생각을 해라. 낙심하고 심란해 있을 시간도 아깝다. 빨리 상황을 돌릴 방법을 찾는 것이 급선무이다. 그것이야말로 결국 몇 번을 쓰러지든 다시 일어날 수 있는 여지가 생기게끔 만드는 방법이다.

PHASE 11

학생에서,

사회인으로

1. 끝나버린 마지막 학기

　기나긴 대학 생활, 영원할 것 같았던 대학 생활이, 결국
마지막 학기마저 끝나버리고, 그렇게 졸업식까지 지나갔다. 그렇게
나는 초등학교에 입학한 후부터, 학부생 시절 도중에 휴학을 한
2년을 포함해서 계산해 보니, 무려 18년 동안 이어진 학생으로
사는 삶을 이제는 완전히 마무리하게 되었다.

　4학년 2학기, 이른바 막학기라고 불리는 그때를 생각해 보면,
그때 나는 이미 학생과 사회인의 경계로 나가고 있었던 것 같다.
1학년 때의 시간표와 4학년 때의 시간표를 비교해 보면, 진짜
차이가 컸다. 나는 1학년 1학기부터 3학년 1학기까지, 한 요일을
통으로 빼는 공강 날을 가져본 적이 없다. 소위 말하는
"금공강(금요일 수업이 아예 없는 경우)"이나 "월공강(월요일 수업이 아예 없는

경우)"은 아예 해본 적이 없다. 3학년 2학기가 되어서야, 한 과목을 철회하고 나서야 겨우 금공강이 생겼을 정도였다. 철회한 이유는, 공대를 다녀본 사람들은 공감할 텐데, 3학년 때가 제일 힘들어서, 사실 내가 그 빡센 일정과 공부량이 감당이 안 되어서, 금요일 수업을 결국 철회해야 했다. 오죽하면 공대생들 사이에서는 3학년은 "사망년"으로 불릴 정도이다. 그렇게 억지로 겨우 금공강을 만든 3학년 2학기가 지나고 다시 1년간 휴학했다가, 2023년에 4학년으로 복학한 것이다.

4학년 때는 양상이 아예 달라졌다. 교수님들도 많이 퇴임하시거나 안식년 등의 사유로 아예 열리지도 않은 과목도 많았고, 필수 전공이랑 필수 교양은 거의 다 들어놓은 상태였다. 심지어, 원래는 졸업 필수 요건 중에 인턴십이 있었는데, 코로나19 팬데믹 때문에 그마저도 사라졌다. 학점만 잘 채우고, 4학년 때 남은 유일한 필수 과목은 4학년 1학기 때 캡스톤디자인이라는 졸업과제 만드는 팀 프로젝트만 남았다. 그렇게 4학년 1학기의 시간을 짜보니, 전에는 보지 못한, 화요일과 금요일 공강이 생겼다. 난생 첫 공강이었다. 그 공강 날들에는 주로 이프랜드나 NFT 관련 컨텐츠 작업을 했다. 확실히 공강이 이틀이니까 시간은 꽤 넉넉했다.

그렇게 4학년 1학기를 마치고, 마지막 여름방학을 마친 후 막학기 개강 날이 다가왔다. 막학기 수강 신청을 하려는데, 여기서 문제가 생겼다. 일단 교수님의 수가 많이 줄었고, 열린 과목들은 거의 다 이수했다. 4학년 1학기를 끝으로, 모든 전공필수 과목 및 하나 남은 교양필수까지 다 이수했다. 그러나 4학년 2학기를 시작할 무렵, 아직 채워야 할 전공선택 학점 수가 남았다. 그러나 과목들은 열린 것이 없었다. 이리저리 과목 시간표를 배열하다 보니, 월요일과 수요일만 학교에 가면 되는 시간표가 짜였다. 좋은 것 아니냐는 생각이 들겠지만, 아무리 공강이 많으면 좋다고 한들, 모든 수업이 월요일과 몰려서 그 두 날은 너무 피곤했다. 심지어 월요일의 경우, 원래는 밤 9시까지 캠퍼스에 남아야 했던 상황이 생겼다. 일단 나는 9시면 자러 간다. 대신 오전 5시 무렵에 기상을 한다. 근데 9시에 남아야 한다니….

9시까지 남는 수업은 또 하나의 문제가 있었다. 바로, 자칫하면 집으로 돌아가는 차편이 끊길 수 있다는 것이다. 다시 한번 말하지만, 나는 통학길이 길다. 집은 롯데월드 근처, 캠퍼스는 에버랜드 근처에 있다. 대학 다니는 동안 롯데월드와 에버랜드를 매일 왔다 갔다 했는데, 이게 시간이 대중교통으로는 2시간 정도 걸린다. 거기에, 우리 캠퍼스 근처에서는 이제 막 신도시 개발이 시작되었는지라 아직은 막차 시간도 생각보다 이르다. 그래서 까딱하면 집, 혹은 최소한 서울로 어떻게든 올 차편이 끊길 위험이 다분한 시각이었다.

그나마 다행인 것은, 일단 교수님이 웬만해선 9시까지 풀로

수업을 진행하진 않고, 한 시간 정도 일찍 끝내주시는 일이
대부분이었다. 거기에 4학년 1학기에 친해진 한 동기가 자신의
차로 우리 학교 캠퍼스에서 수도권 지하철 수인분당선 기흥역까지
데려다주었다. 기흥역까지만 가도, 일단 수인분당선 지하철의 막차
시각은 버스보다 더 늦기에, 집으로 갈 수 있었다. 그리고 학기
후반에는 브릭에 빠지다 전시회 관련 준비, 그 외 각종 비즈니스
미팅 등이 잡히면서 사실 조퇴나 결석을 종종 했는데, 정말 하늘이
도운 것이, 9시까지 수업을 풀로 한 날들에 그런 미팅이 잡혀줬다.
실질적으로 나는 9시까지 수업이 풀로 진행된 경험은 하지 않았다.
비즈니스 미팅 등 여러 가지가 맞물리면서 4학년 2학기 중간고사
이후부터는 학생과 사회인 사이의 행보를 어쩔 수 없이 보여야
했다.

　　이렇게 대학 생활 내내를 통틀어서 제일 스펙터클한
막학기마저 끝을 보였다. 나는 군대도 면제되었다 보니
친구들보다는 덜 스펙터클하게 대학에 다녔을 것이다. 거기에 뭐
소개팅, 과팅 등은 내가 1학년 때 이미 다 거부를 해서 그
이후로는 제안이 오지 않았고, 나이트 클럽 등은 내 생활 패턴상
갈 수 없어서 역시나 그런 경험도 없다. 그나마 한 교내 활동은
배드민턴 동아리 하나 정도 말곤 없었다.

　　대신, 이프랜드라는 것을 하면서 파생된 여러 기회, 경험,
대외활동들, 여러 NFT 작가님과의 만남 및 교류 등을 하면서

나름대로 만족스러운 대학 생활을 보냈다.

크리에이터 세계로 입문하게 된 2학년 말부터, 그리고 지금까지의 순간은 어쩌면 씨 뿌리는 단계였다. 이제는 그 뿌린 씨로 열매를 맺기 시작해야 할 때이다. 씨만 뿌린다고 절대 발아가 되지 않는다는 점은 누구나 다 알 것이다. 씨를 뿌릴 때, 어디에 뿌려야 할지부터 고민부터 해야 할 것이다. 좋은 토양 위로 씨를 뿌려야지, 애면 아스팔트 바닥에는 백날 씨를 뿌려봤자 아무것도 안 나올 것이다. 그리고 좋은 토양 위에 씨를 뿌린다 한들, 정기적으로 물과 비료를 주고, 잡초는 뽑아주는 등의 정성을 추가해 줘야 발아가 될까 말까 하는 상황일 것이다.

솔직히 나는 지금 내가 뿌리고 다닌 씨들이 언제, 어디서 발아할 것인지 잘 모르겠다. 어떤 것은 분명 지금쯤 떡잎은 피웠을 수도 있을 것도 같은데, 과연 그게 어떤 것들인지, 심지어 피긴 했었는지, 그마저도 모르겠다. 그래도 일단은 묵묵히 씨를 뿌리고 있다. 절대 조급해하지 않으면서. 분명 나는 이 씨앗 중 뭔가는 발아할 것이라고 확신한다. 막학기 후반에 그렇게 열심히 일해서 나를 알리고, 비즈니스 미팅도 해보고, 전시회도 참여하고 했는데, 그 결과가 언젠간 나올 것이라고 믿는다. 중요한 것은 꺾이지 않는 마음이라고 했다. 이제부터는, 삶의 양상과 흐름에 맞춰서 활동하는 것이 매우 중요해질 시점이 왔다고 생각한다.

2. 졸업이라는 새로운 시작

그렇다. 이제는 졸업식도 마쳤다. 공식적으로 이제 나는 사회초년생이다. 학생으로 사는 삶은 끝났고, 졸업을 통해 새로운 시작을 하게 되었다. 맨날 주위에서 듣고 있는 말은, 이제 인생이 행복 끝, 고생 시작이라고 듣고 있다. 졸업 다음 날부터 이미 그 말에 질려버리게 되었다. 뭐, 이제는 내가 책임을 져야 할 반경이 이전보다는 훨씬 늘어났을 것이다. 곧 경제적으로도 자립을 해야 할 것이고, 내 인생을 결국 나 혼자서 설계하고, 잘못된 부분은 고쳐가면서 살아가야 할 것이다.

이전에는 내가 무슨 사고를 치든 뒷수습해 줄 사람이 있었다. 내가 더 어릴 때는 내가 사고를 쳤을 때, 부모님이 나서기도 전에 이미 주위에 길 가던 모르는 착한 어른들까지 합세하며 그 사고를 수습해 주셨다. 하지만 이젠 그런 시절은 갔다. 그래서 아마 사람들이 이젠 행복 끝, 고생 시작이라고 말한 것 같다.

뭐, 그 시절도 나름의 행복한 면이 있다. 그래도 복잡한 거 신경 쓸 필요가 없다 보니 마음은 편하니까. 내가 무슨 짓을 해도 그 뒷일에 대해서는 나는 신경을 쓰지 않아도 되었었다. 제아무리 사고를 치고 다녀도, 저절로 마법처럼 어느 순간 해결이 되어있었다. 대신 그 시절에는 내가 하고 싶은 것을 하는 데에 상당한 제약이 있었다. 나 스스로는 아무것도 못 할 때니까.

그러다가 2018년 대학교 1학년 여름방학 때, 혼자 싱가포르랑 말레이시아로 여행을 갔다 오면서 많은 것을 느꼈었다. 그때 비로소 난생처음으로 모든 것을 혼자의 힘으로 기획, 계획, 실행해야 했었다. 그때까지만 해도, 사실 나도 걱정이 되었다. 싱가포르로 출국하기 위해 인천국제공항으로 가는 공항 직통버스에 탑승하기 전, 아빠한테 들은 말이 아직도 머리에 남아있다.

"설령 납치를 당한다 해도, 싱가포르에서 있을 그 엿새 동안에는 모든 것을 혼자 힘으로 이겨내야 할 것이고, 엄마랑 아빠는 직접적으로 도움을 줄 수 없을 것이다."

다행히도 싱가포르는 전 세계에서 제일 안전한 국가다.

대한민국도 치안이 좋은 국가이지만, 그 대한민국보다도 더 안전하다고 평가받는 곳이 싱가포르이다. 사실 여행 국가를 싱가포르로 정한 이유도 여기에 있다. 원래는 대만 타이베이로 가려고 했다. 왜냐하면 캐나다에서 사귄 내 절친이 대만계 캐나다인인데, 그래서 그 친구는 매년 여름방학마다 대만에 간다는 것을 알고 있었다. 사실은 그 친구를 만나고 싶어서 타이베이로 가려고 했다. 그러나 그 친구와 스케줄이 꼬이는 바람에, 내가 타이베이로 가봤자 그 친구는 못 만나게 되었다.

그때 아빠가 기왕 이렇게 된 것, 대만보다 더 안전하고, 또 영어로의 의사소통이 더 수월한 싱가포르로 가라고 권유했다. 싱가포르는 공용어가 4개가 있는데, 그중 하나가 영어여서 아무래도 싱가포르에서는 의사소통이 타이베이에 비하면 수월하게 할 수 있긴 했다. 그러나 싱가포르는 타이베이에 비해 압도적으로 물가가 높다. 그래서 사실 고민하고 있었지만, 가족들이 모두 다 아예 그 친구를 타이베이에서 만날 수 없게 되었으니, 차라리 더 안전하고, 소통도 잘 되는 싱가포르로 가라고 해서 그렇게 싱가포르로 가게 되었다.

하지만 제아무리 안전한 싱가포르라도, 혼자서 모든 것을 결정하고 책임져본 적이 없는 나를 그렇게 보내기가 쉽진 않았을 것이고, 보낸 이후에도 많이 걱정되었을 것이다. 엄마는 나한테 싱가포르에서 뭘 먹고 다니는지, 끼니마다 사진을 요구했을 정도였다.

사실 나도 처음에는 걱정이 아예 안 되진 않았지만, 여행을 계속하다 보니 점점 재밌어졌다. 내가 100% 원하는 대로 다 할 수 있게 되면서, 진짜 진정한 자유의 달콤함을 맛봤다. 내가 싱가포르에서는 먹고 싶은 것을 마음껏 골라 먹을 수 있었고, 하고 싶은 것, 보고 싶은 것, 사고 싶은 것, 가고 싶은 곳, 다 내가 원하는 대로만 할 수 있었다. 심지어, 싱가포르 여행 중 당일치기로 말레이시아 남부의 조호르 바루라는 도시도 갔다 왔다. 내 맘대로 국가도 이동할 수 있었다. 진정한 자유는 이런 것이구나. 그래서 여행을 진정으로 즐기고 왔다.

2018 싱가포르 – 말레이시아 여행 사진.
지금 내 인생 요리가 된 '락사'를 처음으로 맛보고, 그 외에도 또
내가 원하는 대로, 원하는 곳들을 방문하면서 찍은 사진들이다.

싱가포르 여행은 사실 거의 2018년 한 해의 운을 거의 다 가져다 썼다고 봐도 될 정도로, 모든 것들이 이상적이었다. 아무런 문제나 탈도 없었음을 떠나서, 모든 게 각본이 있는 영화처럼, 미리 나를 위해 세팅된 상황인 것 같았던 경우도 많았다. 제일 대표적인 사건은, 당일치기로 간 말레이시아 조호르 바루를 돌고 다시 싱가포르로 돌아가는 차편을 찾아다닐 때였다. 나는 그냥 싱가포르로 돌아가려는 방법을 알아보려고, 인터넷 검색을 하기 위해 조호르 바루 시내에 있는, 와이파이를 제공해 준다는 쇼핑몰 중 아무 쇼핑몰 하나를 랜덤으로 점찍어서 갔다. 그러나 거짓말같이 그 쇼핑몰 위층에 싱가포르로 가는 버스가 서는 정류장이 있었다. 이건 뭐 어떤 드라마 속의 전개로 써도 우스울 것 같은 그 상황이라서, 나는 처음에는 믿을 수 없었다. 그래서 그 쇼핑몰 직원들한테 싱가포르로 어떻게 갈 수 있냐고 한 10번은 물어본 것 같다. 10번째로 물어본 직원한테까지도 위층으로 올라가라는 말을 듣고 나서야 긴가민가한 상태로 위층으로 올라가니, 진짜로 싱가포르행 버스표를 파는 매표소가 있었다.

저런 천운은 앞으로 사회인으로 살면서 사실 여러 차례 만날 것 같긴 하나, 쉽게 만나진 못할 것이다. 그러나 오긴 올 것이다. 그러면, 그런 천운이 왔을 때, 그 천운이 내 천운이 되게 하려면 그것을 잡아야 할 것이다.

졸업은 나에게 새로운 시작을 하게 해주었지만, 사실 이것도 이미 다 짐작은 하고 있었고, 자유의 몸이 되면서 앞으로는 이전과 확실히 달라질 것은 너무 예상된다. 하지만 그 자유의 맛을 나는 이미 대학교 1학년 때, 시식은 해봤다. 물론 단지 6일간의 여행과 앞으로 살아갈 최소 80년 동안의 세월은 비교가 안 된다. 분명, 나는 일단 지금은 자유롭지만 80년 동안 실수 하나 안 할 수는 없다. 자유도 결국 주어져 본 사람이 능숙하게 다룰 수 있는 것 같다. 이제는 6년 전이 된, 그 엿새간의 짧은 경험으로 앞으로의 모든 것을 대입시킬 수는 없다. 즉, 나는 자유를 다루는 법이 아직 미숙하다. 그러므로 분명히 나는 언젠간 그 자유를 잘못 다룰 날이 오리라 생각한다. 그리고 자유에는 책임이 따르는 법. 이것은 초등학생들도 아는 상식이다. 그럼 나는 미래에 할 실수에 책임을 지게 될 것이고, 어쩌면 그것이 다음 시련이 오게 할 수도 있다.

물론, 최우선은 최대한 조심해서 실수를 안 하게끔 하는 것이다. 기본적으로 실수는 지양해야 할 것이기 때문이다. 하지만 현실적으로, 우리는 절대로 완벽할 수 없기에, 실수와 잘못으로부터 자유로워질 수 없다. 그럼, 무엇이 현실적으로 최선으로 볼 수 있는가? 반성하고 배우는 것이다. 단, 후회는 하지 말아야 한다. 후회할 시간에 반성을 더욱 하고, 그로 인해 더 철저히 배움으로서 빨리 보완하는 것이 중요하다! 반성은 하되, 후회는 하지 않는다. 내가 전작에서부터 계속 언급했던 이 문장은 앞으로도 내 인생을 살아가면서 좌우명으로 지니고 있을 것이다.

우선은, 아직 일어나지도 않은 미래에 할 미지의 실수에 대해 더 깊게 논하기 전에, 지금 당장 내 상황을 얘기해 보겠다. 일단 나는 더 이상 공부할 필요도 없고, 내 의지와 무관한 시험을 칠 일도 없다. 내가 원한다면, 얼마든지 추가적인 공부, 더 이상 안 해도 되고, 시험도 쳐야 할 일을 얼마든지 만들지 않고 살 수 있는 단계로 왔다. 이전에 나를 제한하던 족쇄들로부터 완전히 해방되었다. 그렇게 진정한 자유의 몸이 되었다.

물론 이제 살면서 경제적으로 안정적인 수입 혹은 자산은 있어야 한다. 그러나, 어떻게 수입을 얻어낼 것이냐, 역시, 내가 내키는 바에 따라서 고르기 나름이다. 이거에 대해서는 내가 100% 주도권을 갖고 있다고 볼 수는 없지만, 정말 다양한 방법으로 돈을 벌 수 있는 현대 사회의 특성상, 내가 이 방법으로는 돈을 벌고 싶지 않다고 선언만 하면 그 방법을 채택하지 않고도 돈을 벌 수 있는 길이 얼마든지 있다.

예를 들어, 나는 딱히 취업 준비, 이른바 "취준"을 하진 않기로 마음을 먹었다. 그러면 나는 내 자유권을 행사해서, 어떤 회사에 입사해서, 그 회사가 주는 월급으로 수입을 받는 방법은 선택하지 않기로 한 것이다. 대신, 다른 방식으로 경제적인 수입을 낼 방법을 선택한 것이다.

이것만 봐도 이전과의 삶의 차이를 느끼고 있다. 나는 내가 원해서 학교에 다닌 적이 없다! 대학은 다소 예외라고 둬도, 유치원 때부터 초중고까지. 그 긴 시간 중 단 한 순간에라도 학교에 가는 것을 원하지 않았다. 오히려 그때는 교우관계 등의 문제로, 학교는 정말 법적 의무만 없었다면 다니는 것이 싫었을 정도였다.

솔직히 의무 교육법이 없었다면 나는 초등학교 1학년이 시작되고 얼마 지나지 않아서, 부모님께 울고불고 칭얼거려서라도 학교는 못 간다고 했을 것이다. 하지만 이제는 다르다. 내가 원하는 방식으로 살아가겠다고 해도, 그 누구도 뜯어말릴 사람이 없다. 설령 가족이나 친구가 뜯어말린답시고 뭐라 해도, 선택은 내가 한다. 주변에서 이렇게 해라, 혹은 이러지 말라, 그런 말들은 단순히 무시해도 아무런 문제가 없다. 즉, 모든 의사결정을 내 손으로, 내 힘으로, 내 의지로 순전히 할 수 있는 때가 태어나고 20년이 넘는 기나긴 기다림 끝에 드디어 왔다. 이렇게 생각하니, 나는 미래가 어떻게 흘러갈지, 뭔가 재밌다. 물론 미래에 닥칠 고생길이 걱정이 아예 안 되는 것은 아니지만, 그래도 내 미래가 어떻게 펼쳐질지, 상당히 흥미로워하는 자세로, 기대도 되고 있다. 걱정과 기대가 같이 공존하는 이 혼란스러운 카오스마저도 뭔가 재밌게 보일 때도 있다.

마치 지금 내 안에는 자아가 3개가 된 기분이다. 미래를 기대하는 자아, 미래를 두려워하면서 걱정하는 자아, 그리고 이 두

자아가 혼란스러운 카오스를 이루면서 위태롭게 공존하는 상황
보면서 즐기고 있는 자아. 이렇게 말하면 뭔가 섬뜩하게 들린다.
하지만 잘 생각해 보면, 이렇게 다중 자아가 얽히고설켜 있는
경험은 누구나 다 한 번씩은 겪어봤을 것이다.

이제는 내가 인생을 살아가면서, 이 단계를 지나갈 차례가 된
것이다. 누구나 인생에서 한 번씩은 겪는 것 아닌가. 그러므로,
매우 자연스러운 이 흐름이다. 때로는, 시대의 흐름이 이렇게
흘러가고 있다는 사실을 거역하지 않고, 수긍하며 받아들이는 것도
중요할 것 같다. 그리고 그 흐름을 읽어가면서, 내 행동에 변화를
주는 것이 현명할 때도 분명히 있다고 생각한다.

3. 드디어 사회로 진출하다

사회로 진출하면, 과연 어떨까. 사실 아직은 실감이 안 난다. 지금 이 책의 이 부분을 쓰고 있는 시점에서는 졸업하고 나서 일주일도 채 되지 않았다. 아마 이 책 자체가 출판되어서 대중에게 풀리기 시작한 시점이 되었을 때도 졸업한 지 한 달 또는 두 달, 길게 봐도 석 달이나 겨우 지났을 것이다. 따라서 아직은 뭐가 특별한지, 체감하진 못했다.

그러나, 이런 말은 거듭 들었다. 사회란 매우 냉엄한 곳이다. 학생을 보는 눈과 사회인을 보는 눈은 엄연히 다르다. 그럼, 여기서 나는 의문이 하나 들었다. 왜 학생에게는 비교적 따뜻하게 바라보고, 왜 사회인에겐 한없이 냉엄할까? 둘 차이가 무엇이길래 그러는 것인가? 알고 보면 다 같은 사람 아닌가? 심지어 18세기 무렵, 영국에서 산업 혁명이 갓 일어났을 때는 가난한 도시 빈민들의 집안 경우에는 5세, 6세 정도 되는 아이들도 일했다. 절대 이것이 좋은 현상이었다고 말하는 것은 아니다. 그런 일은 해서도 안 되고, 미래에 되풀이되어서도 안 된다는 것이 내 생각이라는 것을 분명히 말하겠다.

아무튼 지금은 미성년자들은 학교에 가야 하는 것이 당연시되고, 때론 대학생들까지도 그 연장선으로 보는 것이 당연시되었지만, 불과 200년 전에는 그러지 않았다. 그걸 보니, 학생이라고 보호받아야 할 과학적, 필연적인 이유는 없어 보인다. 그런데도 우리나라뿐만이 아닌, 전 세계 주요 국가들에서는 학생은 따로 보호해 가면서까지 정책을 만들어낸다. 왜일까?

나는 여기서도 놀라운 점을 찾아낼 수 있었다. 결론을 말하자면, 그 나이 때에는 그런 따뜻한 대우를 해주는 것이 사회에게 더 이로운 가치를 준다는 것이 모두에게 증명 및 받아들여졌기 때문이다. 아동 심리학이 발달하면서 그렇게 된 것도 있을 것이다. 아동 심리학을 보면, 영유아의 행동 방식에 대한 고찰을 나이대별로 잘라서 보지 않는가? 단지 영유아만 그런 것이 아닌, 10대 중반에 사춘기가 온다는 등의, 나이대별로 특징을 하나하나 기록해서 그에 맞는 처우를 해주는 것을 권장하는 경우를 많이 봤을 것이다.

재미있는 것은, 인격 형성에 중요한 나이대가 바로 그 무렵이라는 것이다! 그것이 밝혀지면서 어린아이들에게는 위험한 작업 및 노동을 시키는 것이, 단순히 아이들의 물리적, 생물학적인 연약함 때문이 아닌, 정신적으로도 그 이상의 영향을 미친다는 연구 결과가 나오고, 그것을 이제는 받아들이면서, 이제는 아동 노동을 근절하자는 캠페인이 전 세계적으로 퍼지게 된 것이다. 물론 그 캠페인이 생긴 이유는 다양하겠지만, 나는 시간이 흐르면서 아동 심리학이 발달하게 되는 과정도 그 캠페인이 더 퍼지게 된 주된 원인 중 하나라고 본다.

그러다가 사회인이 될 무렵은 상황이 달라진다. 일반적으로, 그 사람들은 이제는 정서적으로 이미 성숙해져 있다. 인격도 형성되어있고, 본인의 신념과 생각이 확고해졌다. 물론, 그 이후로도 인격적인 성장이 아예 멈추진 않는다. 다만, 성장 속도나 성장률은 분명 미성년자 시절에 비해 현저히 떨어질 것이다. 그럼, 사회인은 무엇인가? 더 이상 발달할 일이 없으니, 본인의 특화된 특징을 활용해서 이 사회에 이바지할 역할을 해내야 한다. 만약 그 역할을 해내지 못할 경우, 그것은 결국 사회 모두에게 좋은 가치를 내주지 못하기에 냉엄해지는 것이다. 그렇다. 결국은 가치산출법 문제이다. 그렇게 냉엄하다는 사회에서도, 분명 많은 사랑을 받는 사람도 적잖이 있지 않은가? 그런 사람들은 이 사회에서 대체 불가능한, 이른바 린치핀들이다. 그리고 모두가 안다. 그런 사람들은 이 사회에 그 어떤 어려움이 오든, 대체하지 않는 것이

이 사회를 구성하는 모두에게 이롭다는 것을.

반면, 학생 나이 때는 공부해서 빨리 배우는 것이 바로 사회
구성원으로서 작용하라는 것보다 오히려 이로운 가치를 사회에게
준다는 사실을 알아차렸으니, 학생 나이 때는 비교적 온화한
시선으로 바라보는 것이다. 무엇보다, 학생 나이일 때는 어리니까
두뇌 회전이 빠르다는 것도 밝혀졌다. 그래서 학생 나이일 때
배움에 전념시키면 더 빠른 시간에 지식 습득이 될 것이고, 그러면
궁극적으로는 더 빠르게 질 좋은 인력을 사회는 얻는 것이다.
거기에 인격 형성이 덜 되어서 심적으로 연약한 상태이다 보니
시선도 온화하게 바라보는 것도 결국 사회에 도움이 될 것이라는
가치 판단이 작용한 것으로 생각한다.

내 친구 중에는 K-POP 걸그룹 아이돌로 데뷔한 친구가
있다. 아이돌로 데뷔할 때는 거의 예외적으로, 매우 어린 나이
때부터 이 냉엄한 사회를 경험하는 것이 일반적이라고 한다.
그러다 보니, 겨우 초등학생 나이 정도밖에 안 되는 아이들이
기획사에서 미래에 아이돌로 데뷔하기 위해 강도 높은 트레이닝을
받을 때, 이 아이들은 겨우 초등학생임에도 이미 이 사회의
냉엄함을 어느 정도 겪는다고 한다. 그래서 내 친구가 당시 연습생
신분으로 기획사에 들어갔을 때, 그 친구한테 이런 슬픈 말을
들었다. 자신이 기획사에서 보고 만난 초등학생, 혹은 중학생 정도
나이대의 애들이 사회의 냉엄함을 너무 일찍 겪은 탓에, 태도나

마인드 등이 여느 아이들과는 다르게 너무 차갑다고 나한테 말한 적이 있다. 이것을 들었을 당시에는 나도 너무 어려서 그냥 그런가보다 싶었다. 그러나 지금 다시 그 말을 곱씹어보니, 참 안타깝다는 것, 그 이상의 생각이 든다.

나는 그런 아이들과 비교하면, 그래도 냉엄하다는 사회를 바로 겪기 전에 충분한 준비 과정을 거쳤다고 생각한다. 물론 그 아이들이 잘못되었다고 생각하는 건 절대 아니다. 그런 아이들은 남들이 가지지 못한 좋은 점도 있다. 자신의 꿈을 남들보다 빨리 찾았다는 점에서는 오히려 그 아이들이 부럽다. 반면 나는 태어난 이후부터 휴학을 2년 하고 대학을 졸업할 때까지를 모두 합산한 세월 동안 충분한 준비 기간을 받았다. 그 세월의 수를 반올림하면 30년이 될 정도로, 절대 짧지 않은 시간이다. 그 시간 동안이면 나는 충분히 준비한 것 같다. 이제 내가 가진 나머지의 부족함을 더 채우려면, 이제는 그간 쌓은 내공과 지식을 활용해야 한다.

완벽한 상태로 사회에 나갈 수만 있다면, 이론적으로는 이상적일 것이다. 그렇지만 앞서 말한 대로, 열역학 제2 법칙의 내용을 잘만 해석해 봐도 완벽하다는 것은 존재할 수 없다는 결론이 나온다고 설명했다. 이 대목이 기억이 잘 안 난다면 앞서 8장 4절의 내용을 다시 읽어보길 바란다. 아무튼, 과학적으로도 우리와 우리가 사는 이 세상은 완벽할 수 없다는 결론이 나왔으니, 완벽하게, 모든 게 완성된 상태로 사회에 진출하기는 더더욱 불가하다.

　물론 사회 진출 전, 최대한 많이 배우고, 겪고, 느끼고, 경험해 보는 것이 중요할 정도로 좋겠지만, 현실적인 문제 등으로 나는 경험도 없고, 아는 것도 없고, 이런 식으로 내가 조금 부족한 듯해도, 절대 부끄러워하거나 쫄아버릴 필요는 없다. 어차피 학생이든 사회인이든, 그 누구도 눈을 영원히 감는 그날까지 완벽해질 수 없기 때문이다. 그러니, 이제 기왕 사회로 나온 것, 나에게 주어진 이 이전과는 차원이 다른 수준의 자유를 가지고, 어디 한 번 제대로 즐겨보겠다.

4. 앞으로의 트랙

사회로 진출하면서, 그리고 그 이전에 학생으로 있으면서
사회인들을 동경했던 점들을 모두 종합해서 나름의 트랙을 한 번
짜보긴 했다. 참고로 이 계획들은 모두 졸업 전에 해놓은
계획들이다. 그래서 과연 이대로 다 순항하듯 풀릴 것이냐는
질문에 나는 분명 아니라고 대답할 것이다. 이대로 쭉 이어지는
것은 이상적이긴 하나, 실질적으로 그럴 확률은 로또 1등
당첨보다도 낮다고 본다. 그나마 계획한 것들이 일어날 순서가
바뀌는 정도만 되어도 감사할 따름이다.

무엇보다 이걸 계획한 대로만 일어나는 것도, 사실은
이상적이지 않다. 굵직굵직한 계획도 있지만, 그것을 포기할
정도의 어마어마한 기회가 와주는 것이 사실 이상적일 것이다.

그러나 그것은 내가 확실히 말하는데, 로또 1등을 연속해서 다섯 번 당첨될 확률보다도 낮다고 생각한다.

그렇지만 내 성향의 가장 큰 문제점은, 내가 계획한 것이 조금이라도 틀어지면 바로 머릿속엔 대혼돈의 상태가 펼쳐진다. 그래서 나에게 맞는 방식으로 트랙을 설계했다. 우선, 한 번에 너무 많이 계획하지 않는다. 그리고 기왕이면 시간상으로 몰 수 있는 일은 몰아버리는 것으로 한다. 첫 번째 포인트는 딱히 설명할 건 없는 것 같아서 패스하겠다. 반면, 두 번째 포인트는 의아할 것이다. 왜 웬만하면 계획을 짤 때, 할 일들을 진행할 기간들을 다 몰아버리느냐? 여기에는 두 가지 이유가 있다.

첫 번째. 일을 웬만하면 몰아버리면서, 그 전후로 남는 시간을 확실히 비워두려는 의도가 있다. 그때는 휴식이 필요할 경우 쉬면서 재충전할 수도 있고. 혹은 그 시점에 다른 기회가 오면, 무리 없이 잡을 수 있기 때문인 것도 있다.

두 번째 이유는 좀 더 다른 목적이 있다. 사실, 일이 깨질 때를 대비하려는 이유도 있다. 아무래도 그 많은 일들을 동시다발적으로 처리할 때, 그중 하나가 깨졌을 때 집중력을 잃지 않고, 낙심할 일도 덜 해질 수 있다는 것을 그동안 거듭해서 겪어왔기 때문이다. 이렇게 나 맞춤형 전략으로 트랙을 짜고 있다.

그럼, 과연 내가 계획한 트랙은 무엇이 있는가? 일단, 이전과는 달라진 스케일의 활동반경, 그리고 더욱 명료한 목적성을 가지고 있다는 점을 말하고 싶다.

3학년 때 무턱대고 소식만 들리면 가던 때는 이제 지났다. 완벽한 판단력을 가졌다고 할 수는 없지만, 적어도 그때와 비교해선 향상된 판단력을 가지고 있다. 좀 더 효율적이고 타깃형으로 움직일 것이다. 내 커리어에 도움이 될 법한 것들을, 더욱 냉철하게 판단해서 움직일 것이다.

그리고 내가 그간 꿈에 그리던 것, 글로벌 교류도 본격화하고 싶다. 그 꿈과 목적을 실행하기 위한 첫걸음으로, 일본 고베에서 매년 열리는 레고 행사인 재팬 브릭 페스트(Japan Brickfest, 이하 JBF)에 참가하기로 마음먹었다.

2024 JBF 공식 홍보 포스터
(출처: JBF 공식 인스타그램 캡처)

JBF는 동아시아 최대 규모의 레고 팬들을 위한 행사다. 규모가 얼마나 크냐 하면, 우선 전 세계에 몇 안 되는, 무려 레고 본사가 공인한 레고 팬 행사 중 하나다. 심지어 아시아에서 레고 본사한테 공인받은 행사는 이 JBF가 유일하다. 여기에 JBF 사무국의 공식 발표에 따르면, 2023 JBF에 참여하기 위해 무려 전 세계에서 26개국의 레고 팬들이 일본 고베를 찾았다고 한다. 이 정도면 JBF는 과연 어느 정도 스케일인지, 사실 나도 가늠이 되지 않는다.

내가 2023년 코리아 브릭파티에 있을 때, JBF 사무국 관계자들도 한국에 직접 와서 행사 침여 및 그다음 해에 열릴 2024 JBF를 홍보하고 있었다. 사실 거기서 처음으로 JBF 사무국과 직접 대화할 기회를 얻었고, 거기서 먼저, 구두로 JBF 사무국에 2024 JBF에 직접 참가해서, 그 행사를 이프랜드에 중계하는 것을 허락받았다. 그리고 실제로 공식적으로 참가자로 신청을 넣으면서 다시 한번 이프랜드 중계에 관해 얘기했고, 그렇게 최종적으로 승인받았다. 그렇게 일단 JBF 사무국에 눈도장을 찍었고, 일본에서 유명하다는 레고 사진가들 몇 명이 2023 코리아 브릭파티때 와서 나랑 또 명함을 교류하고, 대화도 나누고 했으니, 솔직히 기대된다.

여기서 왜 굳이 일본까지 가면서 이프랜드를 하러 가냐는 질문을 최근에 거듭 받았다. 사실 이런 행사는 이프랜드에서만 중계하기엔 이프랜드의 파급력이 다소 아쉬운 것은 맞다. 애초에 이프랜드는 동시 접속자 수가 한 방에 많아야 131명이고, 그마저도 40명쯤 이상 넘어가면, 최고급 사양의 최신 핸드폰 단말기가 아닌 이상 랙 등의 오류가 좀 심하다.

다만 이것은 이프랜드가 잘못했다기보다는, 어차피 메타버스라는 것의 특성상 프로그램이 무거울 수밖에 없다. 내가 대학 생활 막학기에 수강한 컴퓨터 보안 수업에서 배운 내용만 가지고 대입해도, 이프랜드를 비롯한 메타버스는 일단 아직은 무거울 수밖에 없다. 안타깝지만 메타버스에 입혀야 하는 보안 알고리즘만 하더라도, 어쩔 수 없이 무거운 알고리즘을 쓸 수밖에 없다. 보안 외에도 데이터 통신적인 문제, 그래픽 생성 문제, 등등 그 모든 것을 종합하니, 현재 상용화된 하드웨어 기술 및 통신망 기술로는 이프랜드 수준의 그래픽을 가진 메타버스를 완벽하게 돌리기란 불가능하다.

아무튼, 많아야 131명 들어올 수 있는 이프랜드 상황은 그 파급력이 유튜브, 틱톡, 트위치 등에 비하면 정말 우스울 정도로 작다. 그런데도 일본까지 가서 이프랜드에서 중계하려는 이유는, 이것은 단순히 이프랜드 중계의 의미가 아닌, 전 세계 AFOL(Adult Fan of LEGO, 성인 레고 팬)들에게 나를 알리려는 목적도 있다. JBF에 참여한 전 세계인들에게, 메타버스에서 활동한다는 점은 나를 매우 독보적으로 보이게 할 것이다. 왜냐면 진짜 그런 사람은 극소수일 테니까. JBF에 가서 나는 나를 알리는 씨를 또 왕창 뿌리려는 것이다. 그리고 이프랜드 내적으로는 내가 JBF에 다녀오고, 그것을 중계함으로써 이프랜드 내에서도 독보적인 레고 아티스트로서의 입지를 굳게 다지려는 것이다. 혹시 모른다. JBF에 중계하러 갔다가 전 세계 AFOL들에게 이프랜드를 홍보한 효과를 낼지도.

사실 2024년에 하려는 것 중에선 JBF 말고도 준비한 것들이 좀 있어서 빠르게 JBF 준비를 마감해야 했다. 행사는 2024년 6월인데, 출품작 라인업은 1월 말 ~ 2월 초에 이미 결정했다. 여기에 이번 JBF부터는 결정할 때 새로운 기준으로 결정했는데, 출품한 모든 작품이 하나의 큰 스토리를 이루게끔 작품을 선정했다. 이 과정에서 동료 이프렌즈 "민루찌"님한테 큰 도움을 받았다. 그래서 JBF에 출품할 작품들은 우선 모두 다 DC코믹스 히어로 소재로만 골랐다. 그리고 작품 설명을 준비하면서, 각 DC 캐릭터별의 특징을 가지고 희망이라는 하나의 키워드로 다 연결했다. 그렇게 JBF 행사 때 전시할 작품 준비는 빠르게 완료할 수 있었다.

2024년은 JBF 외에도 기획한 것이 여러 개 더 있다. 당장 생각해 봐도 브릭에 빠지다 전시회에서 확장된 멤버들로 기획하는 차기 전시회, 한국 AI 작가협회 및 MeendArt 프로젝트의 2024년 계획에 따라서 또 준비할 게 있고, 그 외에도 여러 인맥의 도움으로 기획 혹은 예정된 것들이 더 있다. 여기에 틱톡 에이전시에 합류하면서 하게 될 일들도 있으니, 이렇게 2024년의 연간 계획표에는 이미 굵직한 트랙들이 얼추 세워졌다. 우연하게도 계획된 일들의 대부분은 2024년 여름에 주로 몰려있는 상태이다. 어쩌면, 졸업 후 처음 맞이할 여름은, 그간 겪어본 그 어떤 여름들보다 훨씬 뜨거울 것으로 예상된다.

에필로그

에필로그

또 한 번 사고를 쳤다. 〈어쩌다, 크리에이터〉의 두 번째 이야기를 결국 마쳤다. 〈어쩌다, 크리에이터〉 시리즈는 내 크리에이터로서의 초기 생활에 보고, 겪고, 느낀 것을 주절주절 써 내려가면서 담아보는 것이 이 책의 주된 집필 목적이다. 다만 이 책을 쓸 때는 초기가 아닌, 내 현재 모습인데 왜 초기 생활임을 강조했을까? 왜냐하면 나는 확신이 있기 때문이다. 이것으로 밀고 가도 된다는 것을. 이번 작품도 전작처럼 방대한 내용이 들어있다. 인생철학, 평소 가진 생각, 큰맘 먹고 일부 공개하기로 한 내 과거, 크리에이터로서의 활동, 대학 생활, 등등 이런 것이 주로 담겨있는 책이다.

어쩌면 나라는 것을 설명할 중요한 요소의 집합체라고 봐도 된다. 여기에 공대생 티를 숨길 수가 없었는지, 결국 수학적인 내용과 과학적인 내용, 게다가 내가 컴퓨터공학과에 재학하면서 배운 전공 지식 이야기까지 있다. 이 모든 내용은 사실 딱 한 가지를 가리키기 위해 사용되었다. 여러 가지 시각으로 보여주고 싶은 무언가가 있기 때문이다.

그 무언가는 다름 아닌, 나라는 사람 자체이다. 프리랜서 겸 크리에이터가 되고 싶은 나의 이야기. 전작도 그렇고, 이번 글도 그렇고, 써 내려가면서 느끼는 점은, 내 머릿속에는 분명 많은 것들이 들어있지만, 뭔가 정돈이 안 된 느낌을 받았다. 하지만 하나의 열망, 하나의 목표가 생기면 그 정돈이 안 된 곳들 어딘가에 존재하는 필요한 요소들을 어떻게든 용케 찾아내서 유용하게 쓴다는 것이다.

내가 느끼는 이 책의 최대 단점을 여기서 고백하자면, 전작 〈어쩌다, 크리에이터〉를 읽어보지 않고선 이 책을 이해하기가 힘들 수도 있다는 것이다. 나랑 진짜 친하다 못해 나에 대해서 매우 잘 알고 있으면 모를까, 그러지 않으면 전작을 읽어봐야 한다는 것이다.

사실 이 책을 집필할 때, 원 계획상으로는 완전히 시간대를 전작과 겹치지 않게 하려는 것이었다. 그러나 학업 및 기타 대외활동들, 심지어 기술적인 문제 및 한계 때문에, 이 책을 집필하는 기간이 매우 많이 늘어났다. 그러는 사이에 나는 여러 가지 경험을 더 했고, 그러다 보니 여기에 쓰일 만한 내용들이 하나씩 점점 추가되기 시작했다. 심지어 집필 과정이 길어지는 탓에 목차를 봐도 해당 목차 내용에 어떤 걸 쓰고 싶었는가에 대한 기억도 희미해졌다. 그래서 사실, 이번 〈어쩌다, 크리에이터: 흐름의 굴곡〉은 초기에 세웠던 계획과는 매우 다른 전개로 쓰이게 되었다.

이게 왜 결국 전작과의 연결성이 강해지게 만들었냐 하면, 집필 기간이 늘어나면서, 그사이에 생긴 일들, 겪은 것들의 시작점으로 내려가면 결국 전작에 자세히 명시 및 설명한 이프랜드, 각종 NFT 활동, 전시회 인연들과 다 연결 및 파생이 된 것이기 때문이다. 그리고 그 내용들까지 담으려고 하면서 결국 전작의 이야기랑 오버래핑이 많이 되었다. 최대한 안 겹치게 설명하려고 하였으나, 그럴 수가 없었다. 원래 이 책은 전작의 시간적인 순서로 그다음을 다루려고 하였으나, 결국 전작과 약간 맞물리는 시간적 전개를 가지게 되었다. 그렇다고 전작에 다 설명한 내용을 다시 여기서 자세히 설명하자니, 이야기가 너무 삼천포로 빠지면서 내가 진정으로 하고 싶었던 이야기가 희석되고, 그에 따라 제대로 전달이 안 되는 현상이 계속 나왔다.

일단 이 〈어쩌다, 크리에이터〉 시리즈는 총 3부작으로 기획되어 있다. 마지막 이야기가 될 그 세 번째 이야기는 아직은 좀 막연하게만 설계가 되어있어서 어떻게 될 것이라고 말하기가 지금은 좀 이르다고 생각한다. 하지만 내가 지금 이 책을 쓰면서 느낀 최대 단점인 서사 상으로 전작에 높은 의존도를 보인 것만큼은 일어나지 않게끔 최대한 노력할 것이다.

이렇게 내가 전하고 싶은 두 번째 이야기도 끝이 났다. 전작과는 전혀 다른, 매우 딥다크한 분위기로 시작해서, 그 분위기를 반전시켜 가는 하나의 대서사를 다룬 〈어쩌다 크리에이터: 흐름의 굴곡〉, 그리고 이 책을 이해하기 위해 읽어봤을 〈어쩌다, 크리에이터〉, 모두 다 읽느라 수고가 많았다고 말해주고 싶다. 그리고, 한층 더 성숙해진 모습으로 앞으로의 크리에이터 생활을 이어갈 모습도 잘 지켜봐 주고, 응원해 주길 바란다.

BONUS

레짓브릭스의 작품 세계로 2!

작품 소개

어김없이 또 작품 소개하는 것으로 부록을 준비했다. 여기서 한 가지. 여기에 실을 수 있는 작품은 제한적이라는 것을 알아줬으면 좋겠다. 이유는 저작권 때문이다. 나도 싣고 싶지만 싣지 못하는 것들이 많아서 아쉽다. 그럼, 만든 사진 중 가능한 범위에서, 제일 잘 만든 것 같은 사진들 몇 개만 뽑아오겠다.

참고로, 전작과 달리 이번에는 사진을 어떠한 주제별로 묶어서 절 단위로 분야별로 나눠서 내진 않을 것이다. 그리고 앞선 내용에서 밝힌 바와 같이, 이번에 소개할 작품들 대부분은 AI를 통해서 생성한 배경을 활용한 작품이 대부분이다. 특히 전작을 쓸 때와 달라진 모습을 보면서 이 부분을 보는 것도 또 하나의 재미있는 관전 포인트가 될 것 같다.

2024년 청룡의 해를 맞이해서 제작한 두 작품이다.
2024년 새로운 한 해의 포문을 연 작품들이다.

2024년 설날을 기념해서 만든 사진이다.

한국 전통 느낌의 사진들이다.

실제로 내 졸업식 전날에, 졸업식을 소재로 만들었다.

한때 유행했던 댄스 챌린지들을 패러디했다.
나루토 춤이라고도 불리는 "하이디라오" 댄스와 "슬릭백"을 추는 산타클로스
부부 등의 컨셉으로, 한때 유행했던 댄스 챌린지를
레고 버전으로 재해석했다.

남태평양 한가운데에 있는 한 섬으로 신혼여행을 간 젊은 신혼부부이다.
해외 유명 토이 포토그래퍼 Sir Dork님의 결혼식을 앞두고
축하의 의미로, 전 세계의 토이 포토그래퍼들이 결혼을 주제로 만든
글로벌 팀 프로젝트의 부분으로 제작했다.

메타버스 플랫폼 "이프랜드"에서 제작 과정을 선보였다. 어떤 동료 이프렌즈
분의 어린 시절의 기억인 그분의 대가족 구성원 모두가 여름에 피서를 다
같이 간 장면을 구현했다. 제작하면서 사진의 질감 및 분위기를 마치 그때
그 시절, 추억의 감성이 나도록 표현했다.

스포츠와 관련된 작품들이다.

할로윈과 망자의 날의 소재를 활용해서 색다른 분위기로 표현해봤다.
위에는 발리우드(인도의 할리우드) 영화 느낌으로 해석한 할로윈 사진이고, 아래에는
멕시코의 명절 "망자의 날" 캐릭터로 영화 "기생충"의 포스터를 패러디했다.

두 명의 우주인이 어떤 외계 행성을 탐사하고 있다.

성스럽고 고결한 분위기의 한 대천사이다.

중요한 전투를 앞두고 고뇌에 빠진 한 고대
로마 시대의 장군이다.

손오공을 가지고 만들어본 사진들이다.

사납고 무서운 분위기의 메두사이다.

근엄한 한 중세 시대 군주의 모습이다.

고요하게 명상 중인 한 닌자이다.

원래는 어떤 NFT 공모전으로 낸 사진이다.
내가 졸업한 대학교의 상징 동물이 백마라서, 찬란한 백마의 위엄을 표현했다.

마법사가 마법을 부리는 장면이다.

성 파트리치오의 날을 대표하는 캐릭터 "레프리콘(Leprechaun)"을
소재로, 한때 유행했던 일명 "힙합 스웩" 자세를 취하는 레프리콘이다.

미국의 문화를 소재로 제작한 두 사진이다. 위의 사진은 위엄 있게 뉴욕
맨해튼을 지키는 자유의 여신상의 모습이고, 아래의 사진은 백악관에서
매년 추수 감사절마다 미국 대통령이 직접 주도하면서 열리는 행사인
"칠면조 사면식(Turkey Pardon)"을 모티브로 제작한 사진이다.

어릴 때 즐겨보던 만화 "파워레인저"를 패러디했다.

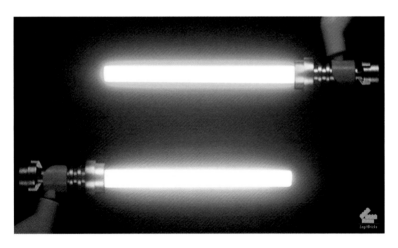

장기화한 우크라이나 전쟁이 하루빨리 끝나기를 바라는 마음에, 우크라이나 국기 색의
모습으로 빛을 내는 플라스마 칼 두 자루를 두 사람이 잡은 것을 표현했다.

이제는 저작권 보호 기간이 끝난, 디즈니의 시작을 알린 최초 버전의
미키 마우스와 미니 마우스를 소재로 만들었다. 미키 마우스와 미니 마우스가
증기선을 몰면서 세상에 처음 등장했었을 때의 순간을 변형 및 각색했다.

스페인 출신의 세계적인 아티스트 "에드가 플랜스 (Edgar Plans)"님의 작품
"The Visitors"를 직접 보고, 원작자를 직접 만난 자리에서 허락받은 후
해당 작품을 나만의 상상력을 가미해서 레고 버전으로 각색 및 패러디했다.

이렇게 내 작품들까지 다시 한번 더 선보이면서. 이제 진짜로 이 이야기의 끝을 맺어야 할 때가 왔다. 어떤 사람들은 나한테 내가 매우 비범한 사람이라는 말을 한다. 그러나 내 생각으로는, 내가 비범한 사람이라기보단, 그냥 거의 모든 방면에서 일반 대중들과는 조금 다른 방식으로 접근을 자주 하면서 살았다고 생각하기에, 뭐 어쩌면 그렇게 보일 수 있겠다는 생각이 든다.

  그러면, 이번에 하려는 이야기도, 이제 여기까지만 하겠다. 내 이야기가 담긴 이 글을 다시 한번 완독해 줘서 고맙다는 말을 마지막으로 남기고 싶다.

틈

전북 군산시 구영6길 125-1

창고로 추정
현재: 카페

군산 틈

: 틈을 찾아라

틈은 말 그대로 진입로 문틈으로 붉은색 벽돌집이 슬며시 보이는 곳이다.

사실 이곳은 공터가 꽤 넓은 편인데 비해 다른 건물과 담으로 둘러싸여 찾기가 쉽지는 않다. 거대한 벽 안에 숨어 있는 느낌이랄까.

헤매다 찾은 이 벽돌집은 동화책에서 막 튀어나온 듯하다.

오래된 붉은색 벽돌 벽을 덮고 있는 초록의 담쟁이넝쿨, 새로 덧입혀진 빨간색 창문 틀과 파란색 입구문이 동화 같은 느낌을 더해준다.

파란 문을 열면 오래된 현재로 들어서게 된다. 바깥세상에 무슨 일이 벌어지던, 이곳은 이곳만의 시간이 흐르는 것 같다.

한 여름의 틈

이곳에 사용된 건축방식은 '조적식'이다.

조적식은 돌(벽돌)을 한 장씩 쌓아 올리는 방식을 의미한다. 시공이 간단하다는 장점이 있으나, 높이 쌓는 것이 어렵고(일반적으로 2층 이하로 시공함), 화재에는 강하지만, 지진에는 취약한 구조이다.

그러나 시간이 흐를수록 다양한 붉은색을 내는 벽돌은 그 감성 하나로도 존재감이 강하게 드러난다.

혹시 고층 빌딩인데 붉은 벽돌로 되어 있는 경우도 본 적이 있을 것이다. 사실 그건 벽돌 모양의 타일이다. 대부분 철근콘크리트 구조에 외부 치장재로 타일을 쓴 경우이다.

아마도 창고였을 것으로 추정되는 틈은 현재 커피향이 가득한 카페로 남았다.

1층 카운터 옆 햇볕이 담뿍 들어오는 창가 옆자리도 좋지만, 2층 난간 자리에서 내려다보는 뷰도 정말 좋다.

커피콩 냄새로 채워진 이곳은 카페 틈만의 시간이 흐르고 있다.

최근에는 내부 비밀의 문을 통과하면 만날 수 있는 반전의 공간이
생겼다. 정말 동화 같은 틈이다.

틈 안의 반전 공간

요코하마 아카렌가 소코
Yokohama Red Brick Warehouse

1 Chome-1 Shinko, Naka Ward, Yokohama, Kanagawa, Japan

1911년: 국영 부두 보세 2호 창고[3]
1913년: 국영 부두 보세1호 창고
1923년 9월 1일: 관동 대지진으로 1호 창고 반파
1945년 - 1956년 미연합군사령부
1956년: 창고
1989년: 이후 방치
1994년 - 1999년: 복원 공사
2002년: 요코하마 아카렌가 소코 개장

---

[3] 1호, 2호는 현재 구분하는 명칭으로 기록에 의하면 2호관이 1호관 보다 먼저 지어졌다. 사진에서 오른쪽 건물이 1호관, 왼쪽 건물이 2호관이다.

Yokohama Red Brick Warehouse
: 바다를 마주한 창고

요코하마는 에도시대 말기부터 메이지시대 초기에 걸쳐 형성된 근대도시이다. 1854년 미일화친조약(가나자와조약)으로 1859년 일본에서 가장 먼저 개항했으나 1923년 관동 대지진과 1945년 요코하마 대공습으로 도시는 정체되어 점점 쇠퇴하였다. 요코하마시는 이를 막기 위해 오랜 기간동안 '미나토미라이21', '창조도시 요코하마'와 같은 도시 개발과 재생 사업을 적극적으로 추진하였다.

요코하마 항구 국제터미널에서 내리면 붉은 벽돌 건물이 한눈에 들어온다. 항구와 마주한 아카렌가 소코는 도시의 상징과도 같은 건물이다.
바다 빛과 대비되는 붉은 벽돌 창고는 1910년대의 최신 기술이 적용된 집약체였다. 그중 하나는 조적 기술로 벽돌과 벽돌사이에 철을 보강한 것이었다. 이 덕분에 1923년의 관동대지진에도 1호관만 반파되고, 2호관은 큰 피해를 입지 않을 수 있었다.

화재로부터 적재물을 보호하기 위한 약 400kg에 달하는 방화문

이외에도, 일본 최초의 화물용 엘리베이터, 스프링클러, 방화도어 등의 최신식 설비를 갖추었다.

현재 이곳은 상업공간으로 활용되고 있다. 1호관은 전시, 행사 등을 위한 공간으로 대여하고, 2호관은 카페, 레스토랑의 식음공간과 함께 다양한 브랜드가 입점되어 먹을거리, 볼거리, 놀거리를 제공하고 있다.

2호관 레스토랑과 숍들

2호관 3층 발코니에서 바다를 바라본다. 역시 창고로만 쓰기에는 아까운 공간이다.

철골조로 이루어진 발코니와 요코하마 전경

개항장 옆 은행

인천 개항 박물관

인천 중구 신포로23번길 89

1883년: 일본 제1은행 인천지점
1909년: 한국은행 인천지점
1911년: 조선은행 인천지점
광복 이후: 한국은행 인천지점
1982년 3월 2일: 인천광역시 유형문화재로 지정
2010년: 인천 개항 박물관 개관

인천 개항 박물관
: 조계지와 은행

차이나타운, 짜장면 거리. 인천하면 떠오르는 단어들이다.
인천은 대표적인 개항지이다. 강화도조약(1876)에 의해 부산항,
원산항에 이어 세 번째로 제물포항(현. 인천항)이 1883년에 개항되었다.
개항지에는 두 가지가 새롭게 만들어진다. 바로 조계지와 은행이다.

조계지[4]는 각국의 외국인들이 생활하는 구역이다. 이 구역에서는
해당 지역 법의 관할권에서 면제되는 상태의 치외법권이 적용된다.
다시 말해 이곳에서는 나쁜 일 저지르더라도 우리나라의 법적
제재를 받지 않는 것이다. 인천은 중국과 일본의 조계지가
형성되었는데, 이는 계단을 사이에 두고 계단의 왼쪽은 청나라,
오른쪽은 일본의 조계지가 형성되었다. 현재 인천 자유공원
진입로에 '청일조계지 경계계단'이 있으며, 양쪽의 석등과 함께
각기 다른 양식의 건물들이 만들어내는 풍경이 남아있다.

개항지에서는 무역과 관련하여 세관과 은행이 필수적이다. 특히
우리나라에는 개항 초기 일본 은행들이 들어왔으며, 이는 후에
경제적 수탈의 도구가 되었다.

---

[4] 이는 중국식 표현으로 일본식 표현으로는 거류지라고 하며, 주로 이들을 혼용하여
사용한다.

일본 제1은행 인천지점은 후기 르네상스 양식의 석조 건물이다. 단순화한 좌우대칭 구성이며, 지붕의 돔과 함께 2단으로 쌓아 올린 기와지붕이 특징적이다.

왼쪽 사진〉 전시 중인 일본 제1은행 인천지점 모형
오른쪽 사진〉 일본 제1은행 인천지점 금고실

현재는 인천 개항 박물관으로 활용하고 있으며, 개항 이후 인천항을 통해 처음 유입된 근대문물이 전시되어 있다.

인천개항장 근대건축전시관

인천 중구 신포로23번길 77

1890년: 일본 제18은행 인천지점
1936년: 조선식산은행 인천지점
1954년: 한국흥업은행 인천지점
이후 상업공간으로 사용
2002년 12월 23일: 인천광역시 유형문화재 지정
2006년: 인천개항장 근대건축전시관 개관

인천개항장 근대건축전시관

: 근대건축물의 보존가치

오르막길 중턱에 걸터앉은 건물. 18은행이라니, 이름이 좀 이상하다.
일본 제18은행은 일본에서 18번째로 설립된 국립은행을 말한다.
제18은행은 나가사키에 설립되었으며, 나가사키를 표기한 한자를
우리나라식으로 읽어 장기18은행이라고 부르기도 한다.

정문 주변은 석조조각으로 정교하게 장식되어 있고, 내부는 목조
트러스 구조가 그대로 남아있다.

목조 트러스 천장과 그 모형

근대건축물은 네거티브 문화재(negative heritage)로 보아 보존이냐
철거냐 하는 논란의 대상이 되곤 하였다. 우리나라의 근대건축물의
대부분은 일제강점기에 일본에 의해 지어진 것들이다. 따라서 철거
를 통해 일본의 잔재를 청산해야 한다는 입장과 문화재로의 가치를
중요하게 여겨 보존해야 한다는 입장이 팽팽히 맞서왔다.

최근에는 2001년부터 도입된 등록문화재[5] 제도, 근대건축물을 전시공간으로 활용하는 국내외 사례 등으로 네거티브 문화재를 역사적 증거로 보존하고 다시는 아픈 역사를 되풀이하지 않기 위한 목적으로 활용하고자 하는 인식이 대두되고 있다.

무조건 없애는 것도, 무조건 남기는 것도 모두 답은 아닐 것이다. 남아있는 건물을 없앤다고 해서 치욕스러운 기억이 사라지는 것은 아니다. 대책 없이 모든 건물을 보존하는 것도 무리가 있다. 그렇다면 무엇을 남겨야 하고 무엇을 없애도 될까?

그래서 그 기준이 되는 보존가치가 중요하다.

[표 1] 근대건축물의 보존가치

보존가치	기준 내용
역사적 가치	역사적 사건의 무대가 된 건축물 역사적 인물과 관계가 있는 건축물 역사적 발전의 증거가 되는 건축물 등
건축적 가치	한 시대의 건축양식을 나타내는 건축물 한 시대의 건축기술을 나타내는 건축물 중요한 건축가의 작품 등
상징적 가치	오랜 시간 현존하여 주변경관, 역사경관과의 연속성을 가진 건축물 지역사의 배경이 되어 가치가 인정되는 건축물 지역의 랜드마크인 건축물 지역 문화를 보여주는 건축물 등

---

[5] 문화재보호법 제5장 제53조(2020.06.09.시행) 개정(2018.12.24.공포)에 따라 등록문화재를 국가등록문화재와 시·도등록문화재 두 가지로 분류하게 되었다.

근대건축물의 보존가치는 역사적 가치, 건축적 가치, 상징적 가치로 볼 수 있다.

근대건축물에 대한 보존가치 기준에 대해서도 아직도 많은 연구가 필요한 부분이다. 제시한 [표 1]은 주로 언급되는 내용을 정리한 것이다. 위의 기준에 부합되더라도 보존하기 어려운 것들도 있다.

최근 현존하는 국내 최고령 아파트인 서대문 충정아파트의 철거가 결정되었다. 1930년대 일본인 도요다 다네오에 의해 지어진 4층 높이(후에 5층으로 증축함)의 아파트이다. 보존과 철거의 논란 속에서 안전상의 문제와 주민과의 갈등문제로 2022년 6월 철거가 결정된 것이다. 이런 경우 실물의 보존은 어렵지만, 이미지 보존이라는 방식으로 기억할 수 있다.

문화유산은 그 시대의 사회문화적 배경, 과학기술, 생활사 등을 파악할 수 있는 중요한 역사적 자료이다. 보관의 방식으로 복원·보존되는 다른 문화유산과 달리 공간은 사람들의 지속적인 드나듦이 있어야만 살아남을 수 있다. 박제된 공간이 아니라 시간의 흐름이 벽에, 천장에, 바닥에 켜켜이 쌓여 함께 살아 숨 쉬는 공간이어야 하는 것이다

군산 근대미술관

전북 군산시 해망로 230

1907년: 일본 제18은행 군산지점
1936년 3월 7일: 일본 제18은행 군산지점 폐업
1936년 4월 24일: 조선식산은행
1938년 4월 4일: 조선미곡창고주식회사
1950년 11월: 한국미곡창고주식회사로 개명
1963년 2월 대한통운주식회사
2008년 2월 28일: 국가등록문화재로 지정
2013년 6월: 군산 근대미술관 개관

군산 근대미술관

: 근대문화도시, 군산

군산은 1899년 개항 이후 군산항[6]과 그 주변에 근대시기에 지어진 산업시설과 건축물들이 남아 있으며, 근대 개항도시의 원형을 간직하고 있다.

군산시는 근대건축물들을 활용하여 도시를 재생하는 사업들을 선도적으로 진행해왔다. 대표적으로 2009년부터 2016년까지 진행되었던 '근대문화도시조성' 사업을 들 수 있다. 이를 위해 군산 근대역사박물관의 신축하고, 근대건축물을 보수·복원하여 문화공간으로 활용하는 근대역사문화벨트화 사업과 경관로와 탐방로를 조성하는 근대역사경관지구사업이 진행되었다. 이를 통해 군산은 '근대문화도시'라는 이미지를 구축할 수 있었다.

일본 제18은행 군산지점은 근대역사문화벨트화 사업의 일환으로 보수·복원되어 현재는 군산 근대미술관으로 활용하고 있다. 건물 자체는 장식 없이 단순한 편이며, 반원형의 창문이 반복적으로 배열되어 다소 귀여운 인상을 준다.

---

[6] 현재 항구로의 기능은 소룡동에 위치한 새 군산항인 외항으로 옮겨졌으며, 기존 군산항은 내항으로 불린다.

반복되는 반원창

영업장으로 사용된 본관 외에 금고로 사용된 부속창고와 숙직실 등
이 있는 부속건물이 있다.

본관 전시공간

현재 본관은 지역 작가들의 전시를 위한 공간이며, 금고였던 부속창
고는 안중근 의사 여순감옥 전시실로 구성되어 있다.

안중근 의사
여순감옥 전시실
(옛 금고동)

군산 근대건축관

전라북도 군산시 해망로 214, 12번지

1922년: 조선은행 군산지점
1953년: 한일은행 군산지점
1981년: 예식장
1982년: 유흥주점, 2층 증축
1990년: 1층 증축 및 화재 후 방치
2008년 7월 3일: 국가등록문화재로 지정
2013년 6월: 군산 근대건축관 개관

군산 근대건축관

: 근대역사문화벨트

근대미술관을 나와 백년광장을 지나면 거대한 모자를 쓴 듯한
지붕을 얹은 근대건축관을 만날 수 있다. 근처의 일본 제18은행
군산지점과 비교하면 한껏 꾸민 모양새이다.

조선은행은 1909년에 설립한 대한제국의 중앙은행인 한국은행을
조선총독부가 1911년 조선은행으로 개칭하여 직속금융기관 역할을
하도록 하였다. 광복 이후 한국은행의 이름을 되찾게 되었다.
조선은행 군산지점은 1953년까지 은행의 용도로 사용되었으나,
1980년대부터는 여러 차례 용도를 바꾸며 상업시설로 사용되었고,
1990년에 화재로 인하여 원래의 모습을 찾기 어려울 정도로
건축물이 훼손되었다.

현재는 근대건축관으로 활용하고 있다. 건축물의 보수·복원의
기록과 군산에 있는 근대건축물의 모형 등이 전시되어 있다.

근대건축물을 활용한 미즈커피(옛 미즈상사), 군산 근대미술관(옛 일본 제18은행), 백년광장, 군산 근대건축관(옛 조선은행)이 선으로 연결되었다.

조화로운 경관을 형성하며, 연계적으로 방문이 가능하여 관광객에게는 편리한 동선을 제공하고 있다.
또 하나 이들은 모두 바다가 보이는 건물들이다.
바다를 볼 수 있는 전시관이라 더욱 특별하다.

군산 근대건축관 2층 외부공간에서 바라본 전경

요코하마 창조도시 센터 YCC

6 Chome-50-1 Honcho, Naka Ward, Yokohama, Kanagawa, Japan

1929년: 다이치은행 요코하마지점
2004년: BankART 1929 요코하마
2009년: 요코하마 창조도시 센터 개관

요코하마 창조도시 센터

YCC (Yokohama Creative city Center)

: BankART 1929

뉴욕의 플랫아이언(Flat Iron)을 닮은 특이한 건물 형태 때문에
눈길이 저절로 향하는 곳.
2, 3층이 오픈 된 반원형의 테라스와 단순하고 힘 있는 투스칸
양식의 거대한 기둥들 그리고 길게 이어진 벽면을 따라 배열된
반원형 아치창과 육중한 세 개의 정문으로 이루어진 근엄한 자태로
주변의 현대적인 건물들 사이에서도 전혀 기죽지 않고 존재감을
드러낸다.

반원형 테라스와 투스칸 양식의 기둥

쇠퇴하고 있던 요코하마가 세계적으로 주목을 받게 된 것은 2004년부터 추진한 '창조도시 요코하마 Creative City Yokohama' 사업이 성공적이었기 때문이다. 이 사업은 도시 내의 역사적 건축물을 문화예술 지원사업으로 활용하는 것이 주요 내용으로 'BankART 1929'가 주도적 역할을 했다.

'BankART 1929'는 프로젝트명이자 프로젝트의 운영단체명으로 옛 다이치 은행 요코하마지점과 옛 후지은행 요코하마지점을 첫 활동 거점으로 삼았다. 'BankART 1929'는 1929년에 설립된 은행(Bank)을 문화예술(ART) 지원사업의 거점으로 활용한다는 의미로 지어졌다. 이들의 주요 활동은 전시, 연극, 공연, 예술가 작업공간, 시설대여, 카페와 숍 운영 등이며, 이를 위한 홍보와 출판 작업을 포함하고 있다.

낙후된 구 도심을 재활성화하기 위한 도시재생 사업에서 가장 중요하게 언급되는 것은 민관협력이다. 이를 위해서는 비영리 시민단체의 역할이 필수적이다. 아무리 좋은 뜻으로 모인 단체라 하더라도 사업을 진행하는 과정에서 크고 작은 갈등은 불가피하다. 혹은 갈등도 없고 실적도 없는 유명무실한 단체가 생길 수도 있다.

'BankART 1929'는 사업의 추진력, 다양한 문화예술 지원 및 유치를 통한 '문화예술 창조도시 요코하마' 이미지 형성, 역사적 건축물 활용의 성공적 사례 제시, 비영리단체 운영력 등에서 요코하마 도시

재생의 기폭제 역할을 했다는 평가를 받고 있다. 이러한 괄목할 만한 성과가 아니더라도 개인적으로 'BankART 1929'에서 높이 평가하는 점은 '꾸준함'이다. 문화예술에 관심이 없는 이들에게도 카페, 숍 등을 통해 자연스럽게 접할 수 있는 기회를 제공하고, 지속적인 활동을 전개하고 있다. 또한 각 프로그램의 아카이빙도 중요하게 여기고 이를 기록화하며 출판하기도 한다.

실제로 필자는 2013년 방문에서 이메일을 남겼는데, 지금까지도 이들의 홍보 메일을 받고 있다. 직접 방문하지 못하더라도 주기적으로 메일을 받으며, '이런 행사를 하는구나. 이런 프로그램을 준비하고 있구나. 여전히 열심이구나.'하고 생각하게 된다. 2004년 3월 사업을 시작한 후로 지금까지 20여 년 가까이 사업을 지속하고 있다는 것만으로 진심으로 응원하게 된다.

YCC 건물의 외관에서 느껴지는 곡선의 우아함과 재료와 기둥의 견고함이 내부에서도 그대로 이어진다. 내부 홀은 거대한 열주들, 고풍스러운 패턴이 반복된 천장, 그리고 길게 늘어뜨린 샹들리에로 더욱 화사한 분위기가 연출되어 은행이라기 보다는 사교 파티가 벌어질 듯한 연회장의 느낌이다. 커피보다는 고풍스러운 티포트에 담긴 홍차를 찻잔에 따라 마셔야 할 것 같다.

2020년 3월 말로 이곳의 YCC 운영은 종료되었다. 앞으로 이 공간이 어떤 모습을 보여줄지 기대된다.

도쿄예술대학교 대학원 영상연구과

4 Chome-4 4 Honcho, Naka Ward, Yokohama, Kanagawa, Japan

1929년: 후지은행 요코하마지점
2004년: BankART1929 바샤미치
2005년: 도쿄예술대학교 대학원 영상연구과 영화전공

도쿄예술대학교 대학원 영상연구과
Graduate School of Film and New Media,
Tokyo University of the Arts
: 은행안의 금고

옛 후지은행 요코하마지점은 앞서 설명한 BankART 1929의 초기활동 거점 중 하나였다. 그러나 사업을 시작한지 8개월 만에 이전해야 했다. 이유는 요코하마시에서 추진하였던 도쿄예술대학교 대학원 영상연구과를 이곳에 유치하게 되었기 때문이다. 결국 BankART 1929 바샤미치는 다른 역사적 건축물을 찾아야 했고, 다행히 요코하마시의 협력으로 창고였던 건물을 개조한 BankART Studio NYK라는 새로운 거점을 탄생시킬 수 있었다.

도쿄예술대학교 대학원 유치는 요코하마시 외에 도쿄 3구가 경합을 벌였는데, 대학교 측은 역사적 건축물을 거점으로 문화예술 활동을 추진했던 BankART 1929의 활동을 크게 평가하였다고 한다. 유치 성공에 BankART 1929의 덕을 봤지만, 이로 인해 BankART 1929의 거점 공간은 옮기게 되었다니. 아이러니다.

도쿄예술대학 대학원 영상연구과 영화전공의 교육공간이 된 옛 후지은행 요코하마지점은 은행의 견고함이 느껴지는 건물이다.

정육면체의 정면, 정확한 좌우대칭과 비례, 도리아식 기둥, 거친돌 쌓기 마감에서 단단함이 느껴진다.

내부는 지하 1층부터 지상 4층까지 구성되어 당시로서는 최대 규모였다고 한다. 1층의 옛 금고는 현재 자료·영상 라이브러리로 사용되고 있다. 학과의 가장 귀중한 자산이 이곳에 보관되고 있는 것이다.

1층 홀

누군가의 집

경교장

서울 종로구 새문안로 29

1938년: 최창학 별장
1945년11월 – 1949년 6월 26일: 백범 김구 사저,
대한민국 임시정부청사
2005년 6월 13일: 사적으로 지정
2013년 3월 2일: 경교장 개관

경교장

: 백범 김구선생을 기리는 마음

대한민국 임시정부청사이자, 김구 선생이 서거하신 곳. 9년 전 논문 준비를 위해 서울에 있는 근대건축물들을 직접 방문하였다. 경교장은 그때 만난 곳이었다.

주소를 따라 찾아간 경교장. 사실 일부러 방문하지 않았다면 이곳을 무심하게 지나쳤을 수도 있었다. 거대한 병원 건물이 먼저 눈에 들어오고, 사람보다 차가 더 많이 드나드는 길목에 위치하고 있기 때문이다. 약간의 실망스러운 마음을 가지고 출입구에 들어섰던 기억이 있다.

1층에 들어서면 또 다른 시간의 공간을 마주하게 된다.
1층의 응접실의 창문 아래 나무 패널 장식, 커튼, 패턴 벽지, 천장의 조명 등 원형 복원의 노력이 곳곳에서 느껴진다.

1층 응접실

특히, 복원 시 살짝 뒷전에 놓이게 되는 실내 마감과 장식소품에도 신경을 쓴 느낌이다.

2층은 주로 김구 선생과 임시정부 요원들이 사용하였던 일식의 침실 공간으로 다다미방으로 되어 있다. 다다미 바닥과 한쪽 벽면에 단을 올리고 선반 등을 놓은 도코노마 흔적도 보인다(이것은 아마도 주인의 취향일 듯하다).

2층 김구선생 침실과 집무실

책상이 놓인 창가에는 총탄을 맞은 유리도 복원되어 있다.
(실제로 발사된 4발 중 2발의 총탄이 유리를 관통하였다.)

이곳에는 또 하나 신기한 공간이 있는데, 바로 지하층에서 지상 2층까지 운반할 수 있는 음식물 엘리베이터인 덤웨이터(Dumbwaiter)이다.

많은 근대문화유산들이, 특히 공공기관 소유의 활용은 그다지 특별할 게 없이 느껴지기도 한다. 되도록 원형으로 보존·복원하고 해당 건물과 관련한 내용의 전시관으로 활용하는 경우가 대부분이기 때문이다.

당시 개인적으로는 이러한 방식의 활용에 좀 회의적이었다. 그래서 사실 경교장도 크게 기대하지 않았다. 경교장도 운영방식은 크게 다를 것이 없었지만, 분위기는 달랐다. 공간이 지닌 따뜻함에서, 이곳을 운영·관리하는 분들의 애정이 느껴졌다.

건물을 원형복원하여 전시관의 방식으로 활용하는 경우는 박제한 동물을 관람하는 것과 비슷하다.
원형보존을 위하여 관람에도 제한이 있고, 전시내용도 크게 바뀌지 않기 때문에 관람객들은 금세 시들해진다. 이러한 공간에서 방문객들을 그대로 방치하면 생소한 공간에 버려진 기분이 들게 된다. 당연히 그런 공간에서의 경험이 긍정적 일리 없고, 재미없다, 식상하다, 이러한 반응이 나오기 십상이다.

그래서 이러한 공간은 이야기가 풍부해야 한다. 아는 만큼 보이기 때문이다. 이 공간에서 무슨 일이 일어났는지, 왜 이렇게 복원을 했는지, 새롭게 복원한 것과 원래의 것이 얼마나 똑같은지, 혹은 다른지, 임시정부청사의 의례적인 공간은 무엇이 있는지, 저 여러 개의 의자에는 과연 누가 앉았을지.

더불어 같은 공간을 매일 새것처럼 관리해야 하고, 스토리텔링에 능한 해설사가 상주해야 하는 등 눈에 보이지 않는 운영과 관리에 많은 공을 들여야 한다. 눈에 보이지 않는 것은 잘해도 티가 잘 안 난다. 그러나 잘하지 않으면 금세 티가 난다.

경교장의 외부공간에도 변화가 있을 것이라는 소식이 들려온다. 새해에는 경교장이 앞뜰에 빛을 받아 조금 더 환해졌으면 좋겠다. 그래서 많은 이들의 눈에 띄기를 바란다.

신흥동 일본식 가옥

전북 군산시 구영1길 17

1925년: 히로쓰 가옥
광복이후: 소유주 변경
2005년 6월 18일: 국가등록문화재 등록
현재: 외부 공개관람

신흥동 일본식 가옥

: 일본식 정원 거닐기

'손은 눈보다 빠르다.'

영화 '타짜'의 명대사 중 하나이다. 주인공 고니는 기술을 배우기 위해 스승 평경장의 집으로 향한다.

영화 〈타짜〉외에도, 〈장군의 아들〉, 〈바람의 파이터〉의 배경이 된 이곳은 군산을 찾는 이들에게는 필수 코스 중 하나이다.

이곳은 일제강점기에 포목점과 농장을 운영하며 돈을 많이 벌어들인 일본인 히로쓰의 집이었다.

군산 신흥동, 월명동은 일제강점기 일본 조계지로 일본인들이 많이 거주하였던 곳이다.

그 중에서도 당시 가옥의 형태가 제법 남아 있는 곳이 바로 신흥동 일본식 가옥이다.

이곳의 진수는 정원이다. 입구에서는 정원의 모습이 드러나지 않는다. 점점 다가갈수록 정원의 일부가 슬며시 드러난다.
작은 규모이지만 회랑식 구조로 연못을 중심으로 하여 주변을 둘러 배치하였다.

이러한 방식은 각 방향에서 보는 뷰가 달라 정원을 실제 크기보다 더 넓게 느껴지게 한다.

다시 입구로 돌아오면 오른편에는 가족 전용 출입구가 따로 있다. 또한 가족들이 현관에 들어설 때마다 기운을 북돋기 위해 현관 발판에 福이 돌로 새겨져 있다.

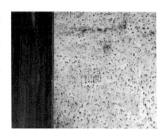

집을 중심으로 한 바퀴 쭉 돌다 보면, 일제강점기에 이곳에서 큰돈을 번 일본인이 이런 집을 지어서 살았다는 사실이 꽤 분해지기도 한다.

또 그와는 별개로 이 집은 아름답다.
세월만큼 짙어진 나무 기둥의 색감과, 나지막이 내려앉은 지붕 그리고 이 공간을 감싸 안은 담장. 그 안에서는 바깥세상과 상관없이 푸릇한 하늘도, 나무도, 돌도 다 내 것이다.
툇마루에 걸터앉아 비 오는 날은 빗소리를 듣고, 해가 쨍쨍한 날은 햇살을 담뿍 받고. 기분 좋은 상상을 해본다.

일본식 가옥의 특징 중 하나인 도코노마
도코노마는 한쪽 벽면 일부에 바닥으로부터
단을 올려 족좌나 불상, 도자기, 꽃꽂이 등으로 장식 해놓은 곳

권진규 아틀리에

서울 성북구 동소문로 26마길 2-15

1959년 – 1973년: 권진규 작업실
2004년 12월 31일: 국가등록문화재 등록
2006년: (재)내셔널트러스트 소장, 관리
2008년: 복원 후 개소

권진규 아틀리에

: 천재 조각가의 작업실 엿보기

이곳은 조각가 권진규가 1959년 일본에서 유학 후 귀국하여 직접 지은 작업실이다.

당시 사용하였던 우물, 가마, 진열대 등의 원형이 잘 보존되어 있어서 그런지 작가가 잠시 자리를 비운 작업실을 엿보는 기분이었다.

권진규의 작업실

현재는 작업실이 필요한 예술가들을 위한 창작공간으로, 일반인들을 위한 공개형(사전예약)으로 활용되고 있다.

간혹 강연이나 만들기 체험이 이루어지기도 한다.

추운 겨울을 제외한 4월에서 9월까지는 공모를 통해 선발된 1인 작
가의 작업실로 사용된다. 비어 있는 겨울에는 이렇게 사전예약을 통
해 한정적으로 개방하고 있다.

처음 방문했을 때가 2013년이었는데, 그 이전부터 현재까지도 이러한 방식으로 운영되어서 참 다행이라고 생각한다. 가옥의 경우는 복원 후에 잠시 개방도 하고 작업공간 대여도 하면서 홍보도 하고 운영도 할 수 있지만 몇 년을 지속하기는 어려운 일이다.

집은 사람이 살면서 쓸고, 닦고, 그리고 사람의 온기로 채워져야만 유지되기 때문이다. 그렇지 않으면 금세 폐가가 되어버린다. 그래서 가옥 문화유산은 가능한 사람이 거주하는 방식으로 활용이 되어야 온전한 보존이 가능하다고 생각한다.

하지만 현실적으로 쉽지 않다. 구조적으로 냉난방 설비나 현대식의 주방가구, 욕실시설을 들여놓기도 쉽지 않다. 이를 위해서는 대대적인 공사가 필요한데 그럼 원형보존이라는 부분과 부딪히게 된다.

그래서 이곳은 오랜 고민 끝에 정기적으로 입주작가들의 아틀리에로 활용하고, 사람이 거주하지 않는 겨울에는 공개관람, 이벤트 등으로 활용하는 방안을 모색하지 않았을까.

권진규 아틀리에가 젊은 예술가들에게는 풍부한 영감을 주는 작업공간으로, 더 많은 사람들에게는 그렇게 탄생한 작품을 감상하고 체험할 수 있는 공간으로 오래오래 보존되기를 바란다.
누군가의 작업실을 엿보는 경험은 꽤 멋진 체험이다.

문방챕터 Chapter

No. 1號, Lane 27, Linyi St, Zhongzheng District, Taipei City, Taiwan

일제강점기: 일본인 관료 기숙사
2007년 5월 30일: 시지정 고적 지정
2013년: 공공도서관 문방챕터 개관

문방챕터 Chapter
: 옛 집에서 책 읽기

한적한 주택가에 위치한 이곳은 약간의 수고(사전예약과 같은)와
약간의 길 헤매기를 통해 만날 수 있는 곳이다.

목조 가옥인 이 건물은 일제강점기에 일본인 관료의 기숙사로
지어졌다. 이후 문화재 가치를 인정받아 시지정 고적으로
지정되었고, 노우신생(올드하우스문화운동) 프로젝트의 일환으로
복원, 리모델링되어 현재는 공공도서관으로 활용하고 있다.

예약한 시간에 방문자들이 모이면 이곳의 관리자로부터 공간에
대한 설명(중국어로 진행)을 듣는다. 이후 약 한 시간가량의 자유시

간이 주어지는데 서가에서 원하는 책을 골라 원하는 공간에서 즐기면 된다.

현관에 들어서면 복원공사 이전의 모습을 담은 기록 사진들이 있다. 실제로 건립 당시의 모습으로 복원하기 위한 노력을 많이 했다고 한다. 그중 하나는 편백나무를 사용한 것인데, 일제강점기에 대만의 편백나무를 일본에서 모두 쓸어가 거의 남아있지 않아서 복원에 애를 먹었는데 다행히 일부를 보관하고 있었던 대만의 수집가 덕분에 필요한 목재를 수급할 수 있었다고 한다.
현관에 세 개의 기둥 중 하나는 새로 복원된 것이다. 사실 구분이 어려울 정도로 감쪽같다.

복원된 기둥   문방(文房) 붓글씨

거실을 지나 넓고 긴 원목 테이블이 놓인 공간으로 들어선다.
'文房' 힘 있게 뻗은 붓글씨가 공간의 중심에 있다.

은은한 나무냄새와 책 냄새를 맡으며 편복도로 난 창밖을 바라본다. 일본식 가옥의 특징 중 하나가 편복도이다. 햇살 가득한 유리창과 지붕 기와를 따라 기울어진 천장이 환하고 아늑한 느낌을 준다.

여기에 자리를 잡아본다. 이내 책의 내용보다는 바깥 풍경에 한눈을 팔고 만다.

이제 약속한 시간이 다 되었다. 못내 아쉬운 1시간이다. 마지막은 식탁에 모여 앉아 따뜻한 다과를 함께 나누는 것으로 일정이 끝이 난다. 입장료를 받는 것도 아닌데 이렇게까지 정성스럽게 방문객들을 맞이하는 이유는 무엇일까?

가옥은 다른 공간들 보다 훨씬 예민하다. 마감재들은 섬세하다. 사람들의 발길이 끊이지 않아야 하지만 그 발걸음이 거칠거나 무거워서는 안 된다. 사람들의 손길은 부지런히 쓸고 닦아줘야 한다.

문방챕터는 민간에 의해 위탁, 운영되는 곳이다. 운영기관이 이곳을
얼마나 아끼고 소중히 여기는지 충분히 느껴지는 공간이었다.
그래서 그저 방문객일 뿐인 나도 이곳이 참 소중하게 느껴졌다.

마지막 티타임 장소인 식당

공장에서 복합문화단지로

F1963
: 와이어공장의 재생

798 예술구
: 베이징의 소호

화산1914문화창의원구
: 양조장에서 주말보내기

F1963

부산 수영구 구락로123번길 20

1963년 – 2008년: 수영공장
(현 고려제강 Kiswire의 모태)
2014년: 부산비엔날레 특별전시장
2016년 8월 23일: F1963 조성·운영을 위한
업무협력 MOU 체결
2016년 9월: 부산비엔날레 개최를 계기로 단계적 오픈

F1963

: 와이어공장의 재생

철망으로 둘러싸인 이 건물은 이곳의 과거와 현재에 대한 정체성이 파사드에서 그대로 드러난다.

눈치챘겠지만, F는 Factory의 앞 글자, 1963은 건물이 지어진 해를 의미한다.

이곳은 1963년부터 2008년까지 와이어를 생산하는 공장이었다. 생산설비 이전으로 비워진 공간은 복합문화공간으로 재탄생하였다.

건축설계를 담당한 조병수 건축가에 따르면, F1963은 세 가지의 재생 방식으로 설계하였다고 한다.

     1. 보존하기

     2. 잘라내기

     3. 덧붙이기

첫 번째, 보존하기는 말 그대로 있는 것을 그대로 쓰거나 재활용하는 방식이다. 공장의 내외부의 일부를 그대로 남기거나 개조하여 활용하였고, 공장에서 사용했던 철판을 안내판으로 재활용하였다.

남아있는 공장 내부 바닥과 천장

철판을 재활용한 안내판

F1963 스퀘어

두 번째, 잘라내기는 공장의 일부 천장을 잘라내어 중정을 만드는
데 적용되었다. 이곳에서는 다양한 공연과 행사가 펼쳐진다.

세 번째, 덧붙이기는 전면부 벽체를 들어내고 새로운 소재를 덧붙인
것을 의미한다. 익스팬디드 메탈을 덧씌워 새로운 현재가 기존 건물
의 과거를 감싸 안은 듯 표현했다.

주 진입로

규모가 있는 근대건축물을 복합문화공간으로 활용하는 사례는 종종 찾아볼 수 있다. 그 중에서도 F1963은 많은 사람들이 찾을 수밖에 없는 공간이다. 석천홀, 국제갤러리, F1963 스퀘어, F1963 도서관과 같은 문화공간과 커피, 맥주, 막걸리, 꽃 등을 즐길 수 있는 상업공간, 그리고 대나무숲길, 달빛가든과 같은 자연 공간으로 구성되어 다채로운 경험을 할 수 있기 때문이다.

F1963은 민관이 협력한 문화재생사업의 국내 첫 사례이기도 하다. 건물, 거리, 지역을 재생하는 데 있어서 민간기업(또는 단체)과 정부가 협업하는 시도는 현재도 빈번하게 이루어지고 있다. 그러나 아직 성공적이라고 할 만한 사례는 흔치 않은 편이다. 정부의 제도적 지원도 필수적이지만 민간의 의지 또한 중요하기 때문이다. 잘 가꾸어진 이곳이 민관협력 문화재생사업의 첫 사례이자 성공적 사례가 될 수 있지 않을까?

따라하게 되는 줄리안 오피 작품

798 예술구 798 Art Zone

Jiuxianqiao Rd, Chaoyang, Beijing, China

1959년: 718 연합공장
1964년: 718 연합공장 해체
2000년: 치싱그룹 공장 운영, 임대사업
2002년: 예술인들에 의한 798 예술구 형성
2004년: 국제 다산쯔 박람회(国际大山子艺术节, DIAF) 개최
2006년: 문화창의산업특구 지정

798 예술구 798 Art Zone
: 베이징의 소호

규모 면에서 단연 압도적이다. 북경시의 동북쪽 다산쯔(大山子) 지역에 위치한 798 예술구의 총면적은 약 60만㎡에 달한다. 원래 이곳은 공장지대로 공장의 일련번호가 706, 707, 718, 751, 797, 798 이었기 때문에 '798 예술구'라는 이름이 탄생하였다.

이곳은 1954년 설계되어 1957년 착공되었다. 옛 소련이 지원하고 옛 독일이 설계를 맡았다. 건립 당시에는 군수공장지로 건설되었으나 이후 공장으로의 기능이 쇠퇴함에 따라 비어진 채로 방치되었다.

비어 있던 이곳을 근처 미술대학에서 임시 작업실로 사용하기 시작했고, 하나 둘씩 모여든 예술가들에 의해 자발적으로 활용되었다. 공장의 큰 규모와 높은 천장, 그리고 싼 임대료는 작업공간으로 사용하기 좋은 조건이었다. 결국 중국 정부는 이곳을 새로 개발하려는 정책을 변경하고 '베이징 798 문화창의산업클러스터(798 예술구)로 지정하였다.

798 예술구의 그래피티(graffiti)

이후 798 예술구 내 크고 작은 공장 건물들은 약 400여 개의 전문화랑, 갤러리, 작가 스튜디오, 카페, 아트숍 등으로 사용되어 베이징의 소호라 불리며, 국제적인 미술 시장의 중심지로 급부상하게 되었다.

가장 유명한 톱니 모양의 건물은
화약공장이었다.

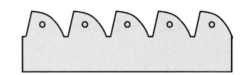
옛 화약공장

798 예술구를 유지하기 위해 오랫동안 활동한 황루이(Huang Rui)는 동료 사진작가 쉬융(Xu Yong)과 2002년부터 798 Space gallery를 운영하였지만 높아진 임대료를 감당하기 어려워 떠나기도 하였다.

798 예술구는 다소 저평가 받았던 중국 미술계를 대외적으로 알리게 된 계기가 되었고, 독특한 분위기로 사랑받는 관광명소가 되었지만 반면에 지나치게 상업화되었다는 우려의 목소리도 높아지고 있다.

798 예술구 내의 작품

우리나라의 삼청동, 신사동 가로수길 또한 초기 소규모 화랑, 공방, 카페 등으로 그 지역만의 문화를 지닌 경관을 만들었다. 그러나 인기가 높아짐에 따라 대형 브랜드화, 프랜차이즈화 되면서 그곳의 문화를 만들어갔던 원주민, 상인들은 높은 임대료를 감당하지 못하고 떠났으며, 그 지역만의 독특함은 잠식되었다.

도시재생에서 늘 거론되는 부작용은 '젠트리피케이션' 현상이다. 재생이 성공적일수록 더욱 심하게 나타난다. 그래서 정부의 제도적 지원과 민간의 운영 의지가 중요한 것이다.

2009년도에 방문했던 당시의 798 예술구는 작가들의 개성이 연신 뿜어져 나오는 활력 넘치는 공간이었다. 정리되지 않고 어수선하지만 자유로운 예술가의 잔뜩 어질러진 방을 보는 느낌이랄까.

이것이 바로 내가 보았던 798 예술구의 '그것'이었다.

798 예술구 내의 전시장 입구

화산1914문화창의원구
Huashan 1914 Creative Park

No. 1, Section 1, Bade Rd, Zhongzheng District, Taipei City, Taiwan

1914년: 일본방양주식회사의 양조장
1917년: 일본 장뇌제조장
1929년: 일본 정부 와인공장 인수
1946년: 대만정부 와인공장, 장뇌 제조장 인수
1961년: 장뇌 제조장 폐쇄
1987년: 와인공장 이전 후 방치
1999년 – 2003년: 예술문화 지구 계획
2003년 – 2007년: 문화예술 사업계획
2007년 12월: 화산1914문화창의원구 개원

화산1914문화창의원구

Huashan 1914 Creative Park

: 양조장에서 주말 보내기

여러 채의 건물들과 함께 초록 가득한 잔디밭 그리고 나무들이 어우러져 있는 이곳은 과거에 양조장이었던 건물이다.

1914년 일본 회사에 의해 양조장으로 지어졌고, 일제강점기에는 일본 정부의 소유였으나, 광복 후에는 대만 정부의 소유가 되였다. 이후로도 양조장(주로 사케와 와인)으로 계속 사용되었다가 1987년 공장이 이전하게 되면서 방치되었다. 비어있던 이 공간에서 예술가들이 공연을 하면서부터 이곳을 문화예술을 위한 공간으로 활용하기 위한 계획이 시작되었다. 그리고 드디어 2007년 12월 'Huashan 1914 Creative Park'가 오픈하였다.

입구에서 가장 먼저 만나게 되는 장면은 푸른 잔디밭이 넓게 펼쳐진 야외 공간과 그 뒤로 회색의 콘크리트와 붉은 벽돌건물이 각기 다른 높이로 나란히 놓인 모습이다.

나란히 붙어있는 3개의 건물 왼편으로 들어서면, 회색 콘크리트 벽위 박공 기와지붕의 건물 그리고 건물보다 2배는 키가 큰 나무가 있다. 이곳은 원래 차고지였는데 이 단지 안에서는 가장 먼저 지어진 건물이라고 한다. 현재는 카페 겸 소품 숍이다.

옛 차고지

아트대로로 불리는 이 길은 원래 공장의 주진입도로였다. 공장에서 와인을 만들면 이를 맞은편 창고로 옮겨 놓고 마지막으로 창고 앞에 차를 대고 실어 가지 않았을까 하는 상상을 해본다.

아트대로

옛 와이너리이자 현재 공연장

공원의 주출입구에서 정면에 보이는 2층으로 된 건물은 사케 공장의 본사였다. 2층 발코니와 반원형 아치 창문이 여전히 멋진 곳이다.

옛 사케공장 본사

그 오른편으로 붉은 벽돌의 건물들이 모여 있는 화산 벽돌 길 (Huashan Brick Lane)라고 불리는 곳은 일제강점기 가장 유명했던 장뇌 공장이었다고 한다. 벽돌 벽을 액자 삼아 뿌리를 내린 나무들 모습이 눈길을 사로잡는다.

화산 벽돌 길

이곳을 처음 방문하였을 때는 사전 지식이 없었을 때라 그저 젊은 이들에게 인기 좋은 핫플레이스라고 생각했었는데, 근대건축물을 활용한 곳이라는 이야기를 듣고 사실 많이 부러운 마음이 들었다. 오랜 세월 동안 많은 이야기를 품고 있는 이 낡은 공간을 있는 그대로 일상처럼 즐기고 있는 그들이 참 부러웠다.

이렇게 규모가 있는 복합문화공간의 중요한 요소는 편리한 접근성과 함께 선별된 다양성이다. 아무리 좋은 공간이라도 찾아가기가 어려우면 많은 이들의 방문을 기대하기는 어렵다.

주말에 약속 장소로 잡기 편한 곳. 카페에서 시원한 음료수 한 잔을 손에 들고 골목 사이를 산책하듯 걷다가 새로운 디자인 제품이나 예쁜 소품을 구경하기도 하고, 찜 해 둔 전시나 공연을 보기도 하고, 그림 같은 곳에서 식사를 하기도 하는 그런 곳. 아무것도 하기 싫은 날에는 그냥 잔디밭에서 하염없이 멍을 때리기도 하고, 어느 날은 운 좋게 거리에서 펼쳐지는 공연을 볼 수도 있는 그런 다양함이 가득한 곳 말이다.

건물은 그대로이지만, 계절에 따라 풍경이 변하고, 그 안을 채우고 있는 내용이 바뀌고, 사람들이 다르고, 그래서 매일매일 다른 모습으로 느껴지는 이런 곳은 당연히 사랑받을 수밖에 없다.

참고자료

[단행본]
노다 구니히로 / 2009 / 창조도시 요코하마 / 애경

[보고서/간행물]
군산시 / 2009 / 군산 근대역사문화벨트화사업
마스터플랜수립연구보고서
로우프레스 / 2018 / Nau Magazine Vol.2 : TAIPEI

[인터넷자료]
중국현대를 읽는 키워드 100, 798예술구.
https://terms.naver.com/entry.naver?docId=3404595&cid=62
067&categoryId=62067
문화재청. https://www.cha.go.kr
Akarenga Soko. https://www.yokohama-akarenga.jp
BankART1929. bankart1929.com
Chapter. www.chapter.com.tw
F1963. http://www.f1963.org/ko
Huashan1914. https://www.huashan1914.com